总 策 划：许　琳

总 监 制：夏建辉　王君校

监　　制：韩　晖　张彤辉　顾　蕾　刘根芹

主　　编：吴中伟

编　　者：吴中伟　吴叔平　高顺全　吴金利

修　　订：吴中伟

顾　　问：陶黎铭　陈光磊

Dāngdài Zhōngwén

当代中文

修订版

Contemporary Chinese
Revised Edition

Hànzìběn

汉字本

2

CHARACTER BOOK
Volume Two

主　　编：吴中伟

编　　者：吴中伟　吴叔平

　　　　　高顺全　吴金利

翻　　译：徐　蔚

　　　　　Yvonne L. Walls　Jan W. Walls

译文审校：Jerry Schmidt

华语教学出版社
SINOLINGUA

First Edition 2003

Revised Edition 2014

First Printing 2014

ISBN 978-7-5138-0733-3

Copyright 2014 by Confucius Institute Headquarters (Hanban)

Published by Sinolingua Co., Ltd

24 Baiwanzhuang Road, Beijing 100037, China

Tel: (86)10-68320585, 68997826

Fax: (86)10-68997826, 68326333

http://www.sinolingua.com.cn

E-mail: hyjx@sinolingua.com.cn

Facebook: www.facebook.com/sinolingua

Printed by Beijing Zhongke Printing Co., Ltd

Printed in the People's Republic of China

Unit 1

Nǐ Dēngguo Chángchéng Ma?

你登过 长城 吗?

Have You Ever Climbed the Great Wall?

 汉字 Hànzì **Chinese characters**

The symbol, " ⑧ " after a character, means that the character is a bound morpheme in this context. The figure after the character stands for the stroke number of the character.

1. 养 9 yǎng to raise, to keep, to grow

 养 养 养 养 养 养 养 养 养

☒ 关 + 川

◆ 养花儿 养狗 养鸟儿

我以前养过花儿。

2. 动 6 ⑧ dòng to move, to act

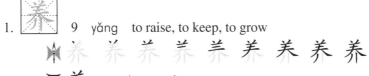 动 动 动 动 动 动

⋈ 云 + 力

◆ 动物

3. 物 8 ⑧ wù thing

⋈ 物 物 物 物 物 物 物 物

⋈ 牛 + 勿

◆ 动物 事物 thing, object

4. 狗　8　gǒu　dog

狗 狗 狗 狗 狗 狗 狗

犭 ＋ 句

◆ 一条狗　一只小狗

狗是我们的好朋友。

5.* 猫　11　māo　cat

猫 猫 猫 猫 猫 猫 猫 猫 猫 猫 猫

犭 ＋ 苗

◆ 一只猫

6. 鸟　5　niǎo　bird

鸟 鸟 鸟 鸟 鸟

◆ 一只鸟儿在天上飞。

7. 只　5　zhī

只 只 只 只 只

口 ＋ 八

◆ 一只小狗

8. 花　7　huā　flower

花 花 花 花 花 花 花

艹 ＋ 化

◆ 花儿很漂亮。

9. 城　9　Ⓑ　chéng　city wall; town, city

城 城 城 城 城 城 城 城 城

城 ◢土 + 成

◆ 城市　长城

10. 间　7　Ⓑ　jiān　between; room

◢间 间 间 间 间 间 间

◢门 + 日

◆ 时间

我现在很忙，没有时间。

11. 己　3　Ⓑ　jǐ　self

◢己 己 己

◆ 自己　我自己　他们自己

自己的事自己办。

12. 听　7　tīng　to listen

◢听 听 听 听 听 听 听

◢口 + 斤

◆ 请听我说。　听见　to hear

听说他在北京有一个朋友，不知道是不是真的。

13. 麻　11　Ⓑ　má

◢麻 麻 麻 麻 麻 麻 麻 麻 麻 麻 麻

◢广 + 林

◆ 麻烦

14. 烦　10　Ⓑ　fán　annoyed; trouble

◢烦 烦 烦 烦 烦 烦 烦 烦 烦 烦

◢火 + 页

◆ 有麻烦　很麻烦

对不起，麻烦你了！

15. 但　7　dàn　but

⋈ 但 但 但 但 但 但

⋈ 亻 ＋ 旦

◆ 但是

16. 所　8 Ⓑ　suǒ

⋈ 所 斤 斤 斤 所 所 所 所

⋈ 戶 ＋ 斤

◆ 所以

17. 办　4　bàn　to do, to handle, to attend to

⋈ 刀 力 办 办

◆ 办点儿事　怎么办 What's to be done?

办公室　bàngōngshì　office

18. 陪　10　péi　to accompany

⋈ 陪 陪 陪 陪 陪 陪 陪 陪 陪 陪

⋈ 阝 ＋ 音

◆ 要不要我陪你回家？　Do you want me to accompany you home?

19.* 登　12　dēng　to climb

⋈ 登 登 登 登 登 登 登 登 登 登 登 登

⋈ 癶 ＋ 豆

◆ 登山　登长城

20.* 得　11　děi　have to; ought to

得 得 得 得 得 得 得 得 得 得 得

彳 + 寻

◆ 现在我得回家了。 你得早一点儿告诉我。

21.* 熟　15　Ⓑ　shú　ripe, cooked, done, familiar

熟 熟 熟 亨 亨 孰 亨 亨 孰 孰 孰 孰 熟 熟 熟

孰 + 灬

◆ 熟悉

22.* 悉　11　Ⓑ　xī　to know; be informed

悉 悉 悉 悉 采 采 采 采 悉 悉 悉

采 + 心

◆ 熟悉

我跟他们不熟悉。

我刚来，对这儿不太熟悉。

23. 欢　6　Ⓑ　huān　happy

欢 欢 欢 欢 欢 欢

又 + 欠

◆ 喜欢　欢迎

24. 迎　7　Ⓑ　yíng　to welcome

迎 迎 迎 迎 迎 迎 迎

◆ 欢迎

欢迎，欢迎！

欢迎你来！

25. 照　13　Ⓑ　zhào　photo; take a photo

照 照 照 照 照 照 照 照 照 照 照 照 照

✖ 昭 ＋ 灬

◆ 拍照　照片　take a picture

26. 片　4　Ⓑ　piàn　slice; flat, thin, small piece of sth.

✖ 丿　ﾉ　片　片

◆ 照片

27. 拍　8　pāi　take photos

✖ 拍　拍　拍　拍　拍　拍　拍　拍

✖ 扌　＋　白

◆ 拍照片　拍照

能不能帮我们拍一张照？

28. 飞　3　fēi　to fly

✖ 飞　飞　飞

◆ 飞机

鸟会飞，人不会飞。

29. 机　6　Ⓑ　jī　machine

✖ 机　机　机　机　机　机

✖ 木　＋　几

◆ 飞机　电视机　电话机

机会　chance, opportunity

30. 票　11　piào　ticket

✖ 票　票　票　票　票　票　票　票　票　票　票

✖ 西　＋　示

◆ 一张票　飞机票　汽车票　买票

31. 火　4　huǒ　fire

火　火　火　火

◆ 火车　火山　volcano　火药　gunpowder　火花　spark

火气　anger, temper　他的火气为什么这么大?

32. 些　8　Ⓑ　xiē　some; a few

些　些　些　些　些　些　些　些

✖ 此　+　二

◆ 一些　这些　那些　哪些

33. 喜　12　Ⓑ　xǐ　be delighted

喜　喜　喜　喜　喜　喜　喜　喜　喜　喜　喜　喜

◆ 喜欢

34. 鱼　8　yú　fish

鱼　鱼　鱼　鱼　鱼　鱼　鱼　鱼

◆ 一条鱼

⬇ 写汉字 Xiě Hànzì **Writing**

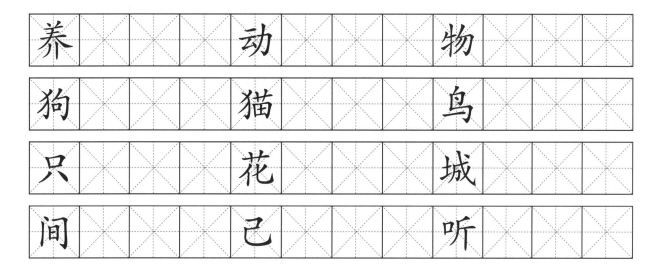

养			动			物		
狗			猫			鸟		
只			花			城		
间			己			听		

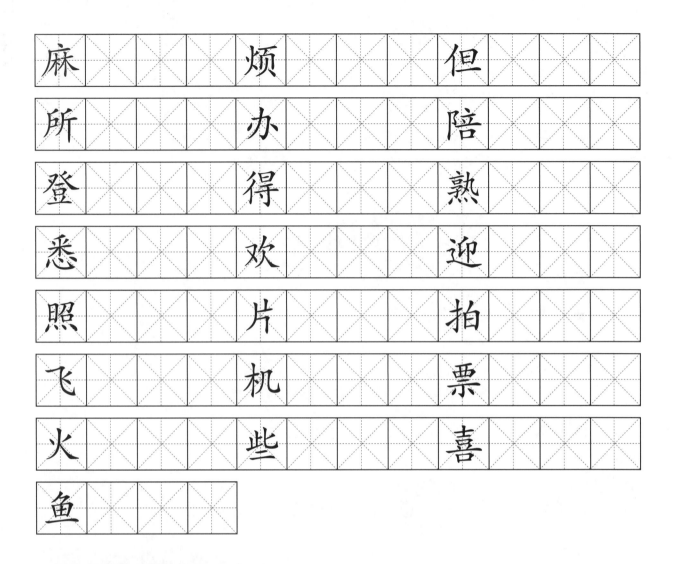

麻				烦				但			
所				办				陪			
登				得				熟			
悉				欢				迎			
照				片				拍			
飞				机				票			
火				些				喜			
鱼											

练 习 Liànxí **Exercises**

一、写出含有下列偏旁的汉字：

Write Chinese characters containing these radicals.

犭   fǎnquǎnpáng   (the "dog" side)

扌   tíshǒupáng   (the "hand" side)

木   mùzìpáng   (the "tree/wood" side)

辶   zǒuzhī   (the "walking" part)

灬   sìdiǎndǐ   (the "fire" bottom)

艹   cǎozìtóu   (the "grass" top)

扌   títǔpáng   (the "earth/soil" side)

火   huǒzìpáng   (the "fire" side)

阝   zuó'ěrpáng   (the "left-ear/hill" side)

二、补上丢失的笔画：

Fill in the missing strokes.

喜   城   乌   迎   牣

三、组词：

Form words.

办（   ）   为（   ）

问（   ）   间（   ）

听（   ）   所（   ）

票（   ）   漂（   ）

四、看拼音写汉字：

Write Chinese characters according to the pinyin.

1. Zhèxiē zhàopiàn dōu hěn piàoliang.

2. Wǒ yào mǎi yì zhāng fēijīpiào.

3. Tā bù xǐhuan yǎng dòngwù.

4. Yǎng huār bǐjiào máfan, dànshì hěn yǒu yìsi.

五、猜一猜下面的句子是什么意思：

Guess the meanings of these sentences.

1. 能不能麻烦您帮我们拍一张照片？

2. 自己的事自己办，别去麻烦别人。

3. 你刚来，对这儿还不熟悉，我陪你去吧！

4. 他因为要去车站接一位朋友，所以今天下午不能来上课了。

5. 你要是去过北京的话，一定听说过"不到长城非好汉"这句话。

汉字知识 Hànzì Zhīshi **About Chinese characters**

Of the 6600 Chinese characters in common use today, characters with nine strokes constitute the largest percentage, with a total of 785 characters. Which Chinese characters have the least number of strokes? Of course, they are 一 and 乙. Which character has the greatest number of strokes? You probably don't know the word. It is   , with 36 strokes. It is pronounced "nàng," and it means, "sniffling" or "speaking with the sniffles." This is a rarely used word.

Unit 2

Dà jiā Dōu Láile Ma?

大家都 来了吗?

Is Everyone Here?

⬇ 汉字 Hànzì **Chinese characters**

1. 住 | 7 zhù to live

   住 住 住 住 住 住 住

   亻 + 主

   ◆ 你住（在）哪儿?

2. 宿 | 11 Ⓑ sù stay over night

   宿 宿 宿 宿 宿 宿 宿 宿 宿 宿 宿

   宀 + 佰

   ◆ 宿舍

3. 舍 | 8 Ⓑ shè house

   舍 舍 舍 舍 舍 舍 舍 舍

   ◆ 宿舍

4.* 餐 | 16 Ⓑ cān meal, food

   餐 餐 餐 餐 餐 餐 餐 餐 餐 餐 餐 餐 餐 餐 餐

   歺 + 又 + 食

◆ 餐厅 餐车 中餐 西餐

5.* 厅 4 tīng hall

厅 厅 厅 厅

◆ 餐厅 客厅 sitting room, parlor

6. 食 9 Ⓑ shí food; to eat

𠂢 食 食 食 食 食 食 食 食

⊠ 人 + 良

◆ 食堂 食品 shípǐn food

7. 堂 11 Ⓑ táng room, hall

⺌ 堂 堂 堂 堂 堂 堂 堂 堂 堂 堂

⊠ 𭕄 + 口 + 土

◆ 食堂

8. 睡 13 shuì to sleep

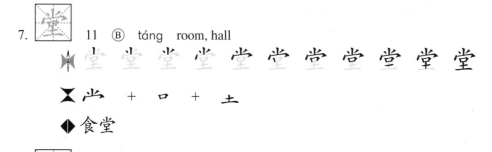
睡 睡 睡 睡 睡 睡 睡 睡 睡 睡 睡 睡 睡

⋈ 目 + 垂

◆ 睡觉

9. 觉 9 Ⓑ jiào

觉 觉 觉 觉 觉 觉 觉 觉 觉

⊠ ⺌ + 见

◆ 睡觉 睡了一觉

10. 床 7 chuáng bed

床 床 床 床 床 床 床

⊠ 广 + 木

◆ 一张床 起床 在床上

11.* 迟　7　chí　late

迟 迟 迟 尺 迟 识 迟

尺　+　辶

◆迟到了。

他上课常常迟到。

12. 肯　8　Ⓑ　kěn　to agree; be willing to

肯 肯 肯 肯 肯 肯 肯 肯

止　+　月

◆肯定

13. 定　8　Ⓑ　dìng　surely

定 定 定 定 定 定 定 定

宀　+　疋

◆一定　肯定

这条小狗一定 / 肯定是他家的。

你说附近有一个银行，你能肯定吗?

14. 错　13　cuò　wrong; mistake

错 错 错 错 错 错 错 错 错 错 错 错

钅　+　昔

◆我错了。

这张地图很不错 (not bad)。

15. 身　7　Ⓑ　shēn　body

身 身 身 身 身 身 身

◆身体

16. 体　7　Ⓑ　tǐ　body

体　体　仕　什　休　休　体

亻　+　本

◆我今天身体有点儿不舒服。　他身体很好。

17.* 舒　12　Ⓑ　shū　to stretch; smooth out

舒　舒　舒　舒　舒　舒　舒　舍　舒　舒　舒　舒

舍　+　予

◆我有点儿不舒服。

他每天看看电视，喝喝咖啡，真舒服。

18. 病　10　bìng　be sick; sickness

病　病　疒　疒　疒　疒　病　病　病

疒　+　丙

◆他病了。　他生病了。　他生什么病？

他有病。

19. 医　7　Ⓑ　yī　doctor, medicine

医　医　医　医　医　医　医

匚　+　矢

◆医生　医院　中医　西医　医学院 college of medicine

20. 院　9　Ⓑ　yuàn　yard

院　院　院　院　院　院　院　院　院

阝　+　完

◆学院　医院　院子 courtyard

21. 正　5　zhèng

正　丁　丁　正　正

◆ 正在休息　公正 fair　正好　just right

22. 已　3　Ⓑ　yǐ　already, finished (connote an end)

己　己　已

◆ 已经

23. 经　8　Ⓑ　jīng

经　经　经　经　经　经　经　经

纟　+　圣

◆ 已经　经常 often　经过 to pass; go through; go by

24. 新　13　xīn　new

新　新　新　立　立　亲　辛　辛　亲　新　新　新　新

亲　+　斤

◆ 新衣服　新书

25. 鲜　14　Ⓑ　xiān　fresh, delicious

鲜　鲜　夕　刍　刍　鱼　鱼　鱼　鲜　鲜　鲜　鲜　鲜

鱼　+　羊

◆ 新鲜

这个汤很鲜，很好喝。

26. 净　8　Ⓑ　jìng　clean

净　净　净　净　净　净　净　净

冫　+　争

◆ 干净

27. 包　5　Ⓑ　bāo　to wrap; bag

＊包 勹 勺 匀 包

✖ 勹 + 巳

◆ 包子 stuffed bun　面包

28. 奶　5　nǎi　milk

＊⺈ 奶 奶 奶 奶

⺈ 女 + 乃

◆ 牛奶　奶奶 grandma

29. 杯　8　bēi　cup

＊杯 朾 朾 杯 杯 杯 杯 杯

⺈ 木 + 不

◆ 一个杯子　一杯咖啡　一杯牛奶

30. 昨　9　Ⓑ　zuó　yesterday

＊旷 旷 旷 旷 昨 昨 昨 昨 昨

⺈ 日 + 乍

◆ 昨天

31. 药　9　yào　medicine

＊药 药 药 药 药 药 药 药 药

✖ 艹 + 约

◆ 吃药

中药 traditional Chinese medicine

西药 Western medicine

32.＊着　11　Ⓑ　zháo　to touch, to feel, to suffer

＊着 着 着 着 着 着 着 着 着 着 着

⊠ 羊 ＋ 目

◆ 着急

33.* 急 9 jí anxious, urgent

⋈ ⺈ 刍 刍 急 急 急 急 急 急

⊠ 刍 ＋ 心

◆ 着急 急忙 in a hurry

34. 完 7 wán to finish

⋈ 丶 宀 宀 宁 完 完 完

⊠ 宀 ＋ 元

◆ 做完 喝完 写完 学完

我说完了。 你吃完了没有?

35. 肚 7 ⑧ dù stomach

⋈ 丿 刀 月 月 肚 肚 肚

⋈ 月 ＋ 土

◆ 肚子

36. 疼 10 téng to ache; pain; painful, sore

⋈ 疼 疒 疒 疒 疒 疒 疼 疼 疼

⊠ 疒 ＋ 冬

◆ 我肚子疼。 我有点儿头疼。

37.* 厕 8 ⑧ cè toilet

⋈ 厕 厕 厕 厂 厕 厕 厕 厕

⊠ 厂 ＋ 则

◆ 厕所

我要上厕所。

38. 喝　12　hē　to drink

喝 喝 喝 喝 喝 喝 喝 喝 喝 喝 喝 喝

⟩⟨ 口　+　曷

◆ 喝水

↓ 写汉字 Xiě Hànzì **Writing**

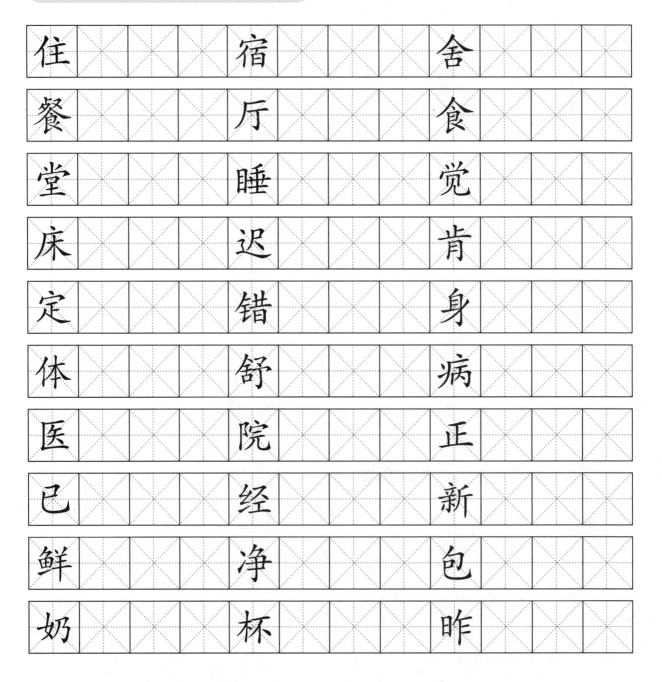

住				宿				舍			
餐				厅				食			
堂				睡				觉			
床				迟				肯			
定				错				身			
体				舒				病			
医				院				正			
已				经				新			
鲜				净				包			
奶				杯				昨			

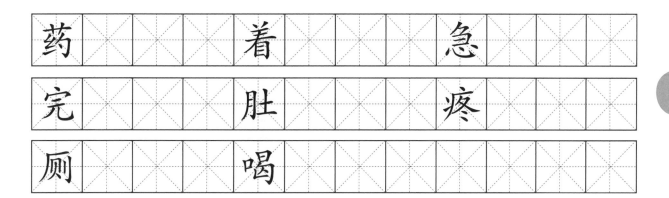

药				着				急			
完				肚				疼			
厕				喝							

 练 习 Liànxí **Exercises**

一、给下面的字加上一个偏旁，把它变成另外一个字：

Add a radical to each character to change it into another character.

不

完

木

约

二、写出含有下列偏旁的汉字：

Write Chinese characters containing these radicals.

疒　bìngzìpáng　　　(the "sickness" side)　病 bìng

目　mùzìpáng　　　(the "eye" side)

木　mùzìpáng　　　(the "tree/wood" side)

艹　cǎozìtóu　　　(the "grass" top)　　huā　yào 花 药 flower medicine

钅　jīnzìpáng　　　(the "gold/metal" side)

三、补上丢失的笔画：

Fill in the missing strokes.

睡　疼　喝　医

四、组词：

Form words.

xǐ 己（　　　　　）　　　　　yǐ 巳（　　　　　）
shì 是（　　　　　）　　　　　dìng 定（　　　　　）
bìng 病（　　　　　）　　　　　téng 疼（　　　　　）
zuò 作（　　　　　）　　　　　zuó 昨（　　　　　）
tīng 听（　　　　　）　　　　　xīn 新（　　　　　）
má 麻（　　　　　）　　　　　chuáng 床（　　　　　）
wán 完（　　　　　）　　　　　wán 玩（　　　　　）
hǎo 好（　　　　　）　　　　　nǎi 奶（　　　　　）
wǎng 往（　　　　　）　　　　　zhù 住（　　　　　）
bǎi 百（　　　　　）　　　　　sù 宿（　　　　　）

五、看拼音写汉字：

Write Chinese characters according to the pinyin.

1. Tā xiànzài zhèngzài shuìjiào.

2. Dàjiā dōu láile méiyǒu?

3. Tāmen dōu zhù xúesheng sùshè.

4. Diàn li de dōngxi hěn xīnxiān, hěn gānjìng, yě hěn piányi.

六、猜一猜下面的句子是什么意思：

Guess the meanings of these sentences.

1. 他去医院看病，还没回来。

2. 药已经吃了不少，但是病还没有好。

3. 今天早上我只吃了几片面包，现在肚子饿(è, hungry)了。

4. 每天我起床的时候，他还没睡觉；我睡觉的时候，他刚起床。

5. 以前，他最头疼的事就是写汉字，现在，他最喜欢的事就是写汉字。

汉字知识 Hànzì Zhīshi **About Chinese characters**

There are basically two ways to look up a word in a Chinese dictionary: either by using the pinyin index, or by using the radical index.

If you know the pronunciation of a character, you may find out its meaning by consulting the dictionary using its pinyin index. Just follow the alphabetical order of the pinyin, which is the same as that of the English alphabet, to find the page number of the character.

If you come across a character that you don't know how to pronounce, then you must use the radical index. First, you determine the radical of the character and the number of strokes in the radical. Then, consult the radical index to obtain the page number of the radical entry in the index of entries. Finally, count the number of strokes in the character, excluding the radical, and consult the corresponding group to find the character and its place in the dictionary.

Unit 3

他们 是什么 时候来 的

When Did They Arrive?

↓ 汉 字 Hànzì **Chinese characters**

1. 父 4 ⑧ fù father

   父 父 父 父

   ◆ 父亲

2. 母 5 ⑧ mǔ mother

   乚 ㄅ 母 母 母

   ◆ 母亲

3. 亲 9 ⑧ qīn parent; blood relation

   亲 亲 亲 亲 亲 亲 亲 亲 亲

   ◆ 父亲　母亲　父母亲

   亲人 family members; dear ones

   亲爱的 dear

4. 房 8 ⑧ fáng house, room

   房 房 房 房 房 房 房 房

   ✕ 户 ＋ 方

   ◆ 房子　房间

5. 借 10 jiè to lend, to borrow

借 借 借 借 借 借 借 借 借

亻 + 昔

◆ 借钱给他 / 借给他钱 lend money to him/lend him money

跟他借钱 borrow money from him

从图书馆借书 borrow a book from the library

6. 拿 10 ná to hold, to take, to bring

拿 拿 拿 拿 拿 拿 拿 拿 拿 拿

合 + 手

◆ 拿东西 拿来 bring (here) 拿去 take (there)

7. 参 8 Ⓑ cān to join; call on

参 参 参 乒 乒 乒 参 参

厶 + 大 + 彡

◆ 参观

8. 观 6 Ⓑ guān to see; look at

观 观 观 观 观 观

又 + 见

◆ 参观 观看 to watch

9. 第 11 Ⓑ dì

第 第 第 第 第 第 第 第 笇 第 第

竹 + 弟

◆ 第一 第二 第三……

10. 次 6 cì order, ranking

次 次 次 次 次 次

◆ 一次　两次　三次

11. 政　9　Ⓑ　zhèng　politics

政 政 政 政 政 政 政 政 政

正 ＋ 攵

◆ 政府　政治 zhèngzhì　politics

12. 治　8　Ⓑ　zhì　to administer, to treat

治 治 治 治 治 治 治 治

氵 ＋ 台

◆ 政治

13. 济　9　Ⓑ　jì　cross a river; to aid

济 济 济 济 济 济 济 济

氵 ＋ 齐

◆ 经济

14. 化　4　Ⓑ　huà　to change; influence

化 化 化 化

亻 ＋ 七

◆ 文化

15. 历　4　Ⓑ　lì　calendar

历 历 历 历

厂 ＋ 力

◆ 历史　经历 (to) experience; go through

历法 calendar

16. 史　5　Ⓑ　shǐ　history

史 史 只 史 史

◆ 你学过中国历史吗?

你学过中国经济史吗?

17.* 博　12　Ⓑ　bó　rich, abundant

博 博 博 博 博 博 博 博 博 博 博

十　+　専

◆ 博物馆　博士 bóshì　doctoral degree; doctorate

18. 馆　11　Ⓑ　guǎn　house

馆 馆 馆 馆 馆 馆 馆 馆 馆 馆 馆

饣　+　官

◆ 博物馆　图书馆　茶馆 teahouse　咖啡馆 café

19. 感　13　Ⓑ　gǎn　to feel

感 感 感 感 感 感 感 感 感 感 感

咸　+　心

◆ 感动 moved, touched　感冒 gǎnmào　catch a cold

你对什么最感兴趣?

20. 趣　15　Ⓑ　qù　interest

趣 趣 趣 趣 趣 趣 趣 趣 趣 趣 趣 趣 趣

走　+　取

◆ 兴趣　有趣 interesting

他很有趣。　我对他不感兴趣。

21.* 通　10　tōng　through, open; expert

通 通 通 通 通 通 通 通 通 通

⋈甬 + 辶

◆ 电话没打通。 他是一位"中国通"。

22. 期 12 Ⓑ qī a period of time; designated time

⋈期 期 期 期 期 其 其 其 期 期 期 期

⋈其 + 月

◆ 星期 学期 过期 到期 become due

23.* 罚 9 Ⓑ fá to fine, to punish

⋈罚 罚 罚 罚 罚 罚 罚 罚 罚

⋈罒 + 讠刂

◆ 罚款

24.* 款 12 Ⓑ kuǎn money

⋈款 款 款 款 款 款 款 款 款 款 款 款

⋈⻆ + 欠

◆ 罚款

25. 应 7 Ⓑ yīng ought to; should

⋈应 应 应 应 应 应 应

◆ 应该

26. 该 8 Ⓑ gāi ought to; should

⋈该 该 该 该 该 该 该 该

⋈讠 + 亥

◆ 应该

你应该早点儿告诉我。

27. 意 13 Ⓑ yì meaning, idea

⋈意 意 意 意 意 意 意 意 意 意 意

✖ 音 ＋ 心

◆ 生意 做生意

这个字是什么意思?

汉语很有意思。

28. 规 8 Ⓑ guī rule

✖ 规 规 规 规 规 规 规 规

✖ 夫 ＋ 见

◆ 这是公司的规定。

29. 快 7 kuài fast, quick, rapid; soon

✖ 快 快 快 忄 忄 快 快

✖ 忄 ＋ 夬

◆ 快车 an express (train, bus) 很快

你快来! 我们快要放假了。

30.* 厉 5 Ⓑ lì strict, rigorous

✖ 厉 厉 厉 厉 厉

✖ 厂 ＋ 万

◆ 厉害

31.* 害 10 Ⓑ hài to harm

✖ 害 害 害 害 害 害 害 害 害 害

✖ 宀 ＋ 丰

◆ 厉害 有害 harmful

32.* 恐 10 Ⓑ kǒng to fear; be afraid of

✖ 恐 恐 恐 恐 恐 恐 恐 恐 恐

✖ 巩 ＋ 心

◆ 恐怕不行。

我看，这些面包恐怕不太新鲜。

33. 怕　8　pà　to fear; be afraid of

怕 怕 怕 怕 怕 怕 怕 怕

忄 ＋ 白

◆ 恐怕　害怕 hàipà　to fear

你怕他什么？

34. 算　14　suàn　to calculate, to count

算 算 算 算 算 算 算 算 算 算 算 算 算 算

竹 ＋ 目 ＋ 廾

◆ 打算　算了

35. 吧　7　ba

吧 吧 吧 吧 吧 吧 吧

口 ＋ 巴

◆ 我想，你大概是中国人吧？

你明天来吧。　我们快走吧！

36. 然　12　Ⓑ　rán

然 然 然 然 然 然 然 然 然 然 然 然

狀 ＋ 灬

◆ 当然　然后

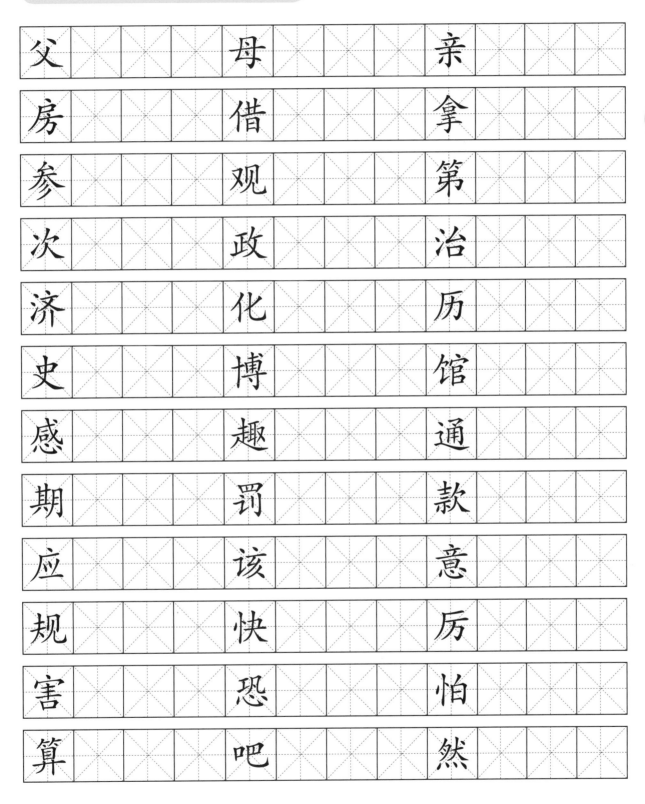

父				母				亲			
房				借				拿			
参				观				第			
次				政				治			
济				化				历			
史				博				馆			
感				趣				通			
期				罚				款			
应				该				意			
规				快				厉			
害				恐				怕			
算				吧				然			

练 习 Liànxí **Exercises**

一、写出含有下列部件的汉字：

Write Chinese characters containing these components.

巴

欠

见

亥

母

亲

力

方

二、写出含有下列偏旁的汉字：

Write Chinese characters containing these radicals.

⺮ zhúzìtóu   (the "bamboo" top)

忄 shùxīnpáng   (the "heart" side)

心 xīnzìdǐ   (the "heart" bottom)

氵 sāndiǎnshuǐ   (the "water" side)

三、补上丢失的笔画：

Supply the missing strokes.

算　趣　第　忠　期

四、组词：

Form words.

化（	）	比（	）
次（	）	欢（	）
快（	）	块（	）
孩（	）	该（	）
历（	）	厉（	）
规（	）	观（	）

五、看拼音写汉字：

Write Chinese characters according to the pinyin.

1. Wǒ duì lìshǐ hěn gǎn xìngqù.

2. Nǐ fùmǔqin dì-yī cì lái Zhōngguó ba?

3. Zhè běn shū shì shénme shíhou jiè de?

4. Tāmen zuótiān cānguānle wǒmen gōngsī.

六、猜一猜下面的句子是什么意思：

Guess the meanings of these sentences.

1. 我最感兴趣的就是经济。

2. 跟这些没文化的人，能说什么呢！

3. 拿这么一点儿钱去做生意，行吗？

4. 你真厉害，他天不怕，地不怕，可就是怕你。

5. 你借的书快到期了吧？小心过了期他们罚你的款！

汉字知识 Hànzì Zhīshi **About Chinese characters**

The different scripts used for writing Chinese are the result of a continuous evolution from complex to simple forms.

In chronological order, they are:

Inscriptions on Bones or Tortoise Shells (甲骨文 Jiǎgǔ Wén)

Inscriptions on Bronze Vessels (金文 Jīn Wén)

Seal Script (篆书 Zhuàn Shū)

Official Script (隶书 Lì Shū)

Regular Script (楷书 Kǎi Shū)

Cursive-Hand (草书 Cǎo Shū)

Free-Hand (行书 Xíng Shū)

甲骨文 金文 篆书

隶书

蘇靖䨲背色
蒼中黄編

楷书

阪路初跋
既不難夫
蘭之九畹
車馬襟杜
誒時乎吾
芳之蕪穢
求索羌內

草书

行书

古代碑帖

以負砌天祇儼雅而
翅戶或復肩架摰鳥
肘擺俯虵冠盤巨龍
帽抱猛獸勃如戰色
有輿其容窮繪事之

Unit 4

Jīntiān Nǐ Chuān De Zhēn Piàoliang
今天 你 穿 得 真 漂亮
You're Dressed So Beautifully Today

汉 字 Hànzì **Chinese characters**

1. 唱 11 chàng   to sing

   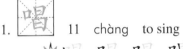
   唱 唱 唱 唱 唱 唱 唱 唱 唱 唱 唱

   口 + 昌

   ◆ 唱歌   唱一首中国歌

2. 歌 14 gē   song

   歌 歌 歌 歌 歌 歌 歌 歌 歌 歌 歌 歌 歌 歌

   哥 + 欠

   ◆ 中国歌   国歌 anthem

3. 跳 13 tiào   to jump

   跳 跳 跳 跳 跳 跳 跳 跳 跳 跳 跳 跳 跳

   足 + 兆

   ◆ 跳舞   跳一个舞

4. 舞 14 wǔ   dance

✴ 舞 舞 舞 舞 舞 舞 舞 舞 舞 舞 舞 舞 舞 舞

✖ 無 + 夕 + 牛

◆ 跳舞　舞会 dance party

5. 优 6 Ⓑ yōu excellent

✴ 优 优 优 优 优 优

▶ 亻 + 尤

◆ 优美　优先 have priority

6. 美 9 měi beautiful

✴ 美 美 美 美 美 美 美 美 美

✖ 羊 + 大

◆ 优美　美好 fine, happy　美女 a beauty

美国 U.S.A.

她很美。

7. 特 10 Ⓑ tè special

✴ 特 特 特 特 特 特 特 特 特 特

▶ 牛 + 寺

◆ 特别

8. 主 5 Ⓑ zhǔ

✴ 主 主 主 主 主

◆ 主席　主要 main, chief

主观 subjective　主人 owner, host

主语 subject of a sentence

好主意 good idea

9.* 席 10 Ⓑ xí seat

席 席 席 庐 庐 庐 庐 席 席 席

广 + 廿 + 巾

主席

10. 总 9 Ⓑ zǒng to assemble; general

总 总 总 总 总 总 总 总 总

总统 总共 in all; altogether

11. 统 9 Ⓑ tǒng totally; to lead, to command

统 统 统 统 统 统 统 统 统

纟 + 充

总统 统一 to unify, to unite

12. 活 9 huó alive; to live

活 活 活 活 活 活 活 活 活

氵 + 舌

活动 生活 life; to live 活鱼

要是没有水，鱼就不能活。

她活到了九十九岁。

13. 题 15 tí topic, title

题 题 题 题 题 题 题 题 题 题 题 题 题 题 题

是 + 页

问题 话题 huàtí topic 题目 title

这道题我不会做。

14.* 答 12 Ⓑ dá to answer

答 答 答 答 答 答 答 答 答 答 答

✖ 竹 + 合

◆ 回答问题

15. 得 11 de děi

▸ 得 得 得 得 得 得 得 得 得 得 得

◂ 彳 + 旱

◆ 她唱得很好。 肚子疼得很厉害。 我得 děi 走了。

16. 肖 7 Ⓑ xiào to resemble

▸ 肖 肖 肖 肖 肖 肖 肖

◂ ⺌ + 月

◆ 生肖

17.* 属 12 shǔ belong to

to be born in the year of one of the twelve animals representing the twelve Earthly Branches

▸ 属 属 属 属 属 属 属 属 属 属 属 属

✖ 尸 + 禹

◆ 他属牛，我属龙。

18. 祝 9 zhù to wish

▸ 祝 祝 祝 祝 祝 祝 祝 祝 祝

◂ 礻 + 兄

◆ 祝你生日快乐！ 祝你新年快乐！

19. 乐 5 Ⓑ lè happy, cheerful

▸ 乐 乐 乐 乐 乐

◆ 快乐

20. 礼 5 Ⓑ lǐ gift, courtesy

▸ 礼 礼 礼 礼 礼

◀ 礻 ＋ 乚

◆ 礼物　礼貌 lǐmào　courtesy

21. 玉　5　yù　jade

◀ 玉 三 干 王 玉

◆ 一块玉

22. 轻　9　qīng　light

◀ 轻 轻 车 轻 轻 轻 轻 轻 轻

◀ 车 ＋ 圣

◆ 年轻

　　他比较瘦，比较轻。

23.* 流　10　liú　to flow

◀ 流 流 流 流 流 流 流 流 流 流

◀ 氵 ＋ 㐬

◆ 流利　流行 prevalent, popular, fashionable

　　这个歌现在很流行。

　　水不流了。

24.* 利　7 Ⓑ lì　sharp, smooth; benefits

◀ 利 利 利 利 利 利 利

◀ 禾 ＋ 刂

◆ 流利

25. 蛋　11　dàn　egg

◀ 蛋 蛋 蛋 蛋 蛋 蛋 蛋 蛋 蛋 蛋

✖ 疋 ＋ 虫

◆ 蛋糕　鸡蛋 jīdàn　chicken egg　鸟蛋

26.* 糕 16 gāo cake

糕 糕 糕 糕 糕 糕 糕 糕 糕 糕 糕 糕 糕 糕 糕 糕

米 + 羔

蛋糕

27. 酒 10 jiǔ alcoholic drink

酒 酒 酒 酒 酒 氵 酒 酒 酒 酒

氵 + 酉

喝酒

白酒 liquor 啤酒 píjiǔ beer

葡萄酒 pútaojiǔ wine 白葡萄酒 红葡萄酒

28. 咱 9 zán we

咱 咱 咱 咱 咱 咱 咱 咱 咱

口 + 自

咱们

29. 越 12 yuè

越 越 越 越 越 走 走 走 越 越 越

走 + 戈

越来越好 越跳越高兴

30. 孩 9 Ⓑ hái child

孩 孩 孩 孩 孩 孩 孩 孩 孩

子 + 亥

孩子 男孩儿 女孩儿

31. 认 4 rèn to recognize, to know; make out

认 认 认 认

⋈讠 + 人

◆认识

你的孩子这么大了，我都认不出来了。

32. 识 7 Ⓑ shí to know

⋈识 识 识 识 识 识 识

⋈讠 + 只

◆认识　知识 knowledge

33. 乐 5 yuè music

⋈乐 乐 乐 乐 乐

◆音乐

34. 件 6 jiàn

⋈亻 件 件 件 件 件

⋈亻 + 牛

◆一件衣服　一件礼物　一件事

 写汉字 Xiě Hànzì **Writing**

唱			歌			跳		
舞			优			美		
特			主			席		
总			统			活		

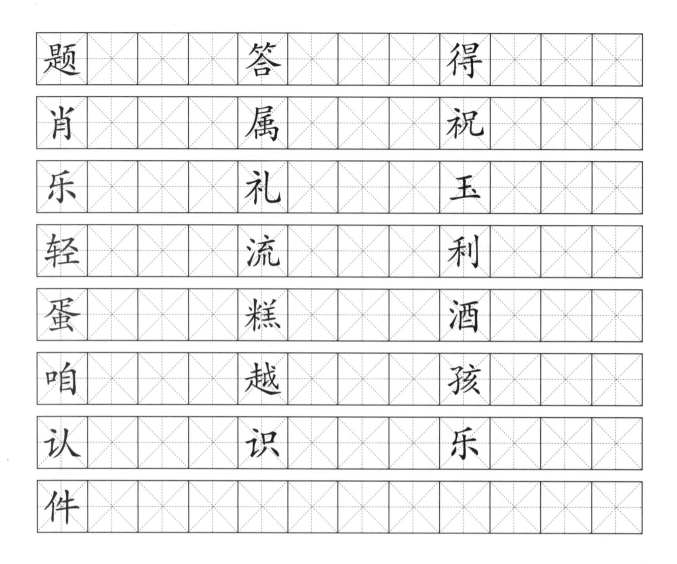

题　　　答　　　得
肖　　　属　　　祝
乐　　　礼　　　玉
轻　　　流　　　利
蛋　　　糕　　　酒
咱　　　越　　　孩
认　　　识　　　乐
件

 练　习 Liànxí **Exercises**

一、写出含有下列偏旁的汉字：

Write Chinese characters containing these radicals.

讠 yánzìpáng　　　(the "word/speech" side)

亻 dānrénpáng　　　(the "single person" side)

口 kǒuzìpáng　　　(the "mouth" side)

𧾷 zúzìpáng　　　(the "foot" side)

氵 sāndiǎnshuǐ　　　(the "water" side)

二、补上丢失的笔画：

Supply the missing strokes.

舞　趴　统　蛋　得

三、组词：

Form words.

话（　　　　　）　　　活（　　　　　　　）
经（　　　　　）　　　轻（　　　　　　　）
欢（　　　　　）　　　歌（　　　　　　　）
王（　　　　　）　　　玉（　　　　　　　）
该（　　　　　）　　　孩（　　　　　　　）
牛（　　　　　）　　　件（　　　　　　　）
西（　　　　　）　　　酒（　　　　　　　）
祝（　　　　　）　　　视（　　　　　　　）
自（　　　　　）　　　咱（　　　　　　　）
越（　　　　　）　　　趣（　　　　　　　）　　　起（　　　　　　　　　）

四、看拼音写汉字：

Write Chinese characters according to the pinyin.

1. Zhù nǐ shēngri kuàilè.

2. Tā yuèláiyuè niánqīng le.

3. Tā chàng gē chàng de hěn hǎo.

4. Wǒ hěn xǐhuan tā sòng gěi wǒ de nà jiàn lǐwù.

五、猜一猜下面的句子是什么意思：

Guess the meanings of these sentences.

1. 想得越多，问题就越多。

2. 这个孩子以后会当总统的。

3. 他只有十四岁，不可以喝酒。

4. 那个正在跳舞的小女孩儿，你认识吗？

5. 他唱的都是现在很流行的歌，唱得很不错。年轻人很喜欢听他唱的歌。

汉字知识 Hànzì Zhīshi **About Chinese characters**

There are basically four fonts for the block form of modern Chinese characters, namely: the Song Typeface, the Imitation Song Typeface, the Regular Typeface and the Boldface.

当代中文 （宋体）   (Song Typeface)

当代中文 （仿宋体）   (Imitation Song Typeface)

当代中文 （楷体）   (Regular Typeface)

当代中文 （黑体）   (Boldface)

Unit 5

Wǒ Jiāxiāng De Tiānqì Bǐ Zhèr Hǎo

我 家乡 的天气比这儿好

The Weather in My Hometown
Is Better Than Here

⬇ 汉 字 Hànzì **Chinese characters**

1. 8 Ⓑ jì season

季 季 千 矛 禾 季 季 季

✖ 禾 ＋ 子

◆ 季节

2. 艹 5 jié section, festival

节 节 节 节 节

✖ 艹 ＋ 卩

◆ 季节　节日　中国人怎么过春节？

今天上午要上四节课。

3. 春 9 Ⓑ chūn spring

 春 春 春 春 表 表 春 春 春

✖ 夫 ＋ 日

◆ 春天　春季

4. 夏　10　Ⓑ　xià　summer

夏 夏 夏 夏 夏 夏 夏 夏 夏 夏

✕ 百　+　夂

◆ 夏天　夏季

5. 秋　9　Ⓑ　qiū　autumn

秋 秋 秋 秋 秋 秋 秋 秋 秋

✕ 禾　+　火

◆ 秋天　秋季

6. 冬　5　Ⓑ　dōng　winter

冬 夂 夂 冬 冬

◆ 冬天　冬季

　冬天来了，春天还会远吗？

7. 热　10　rè　hot, warm

热 热 热 扎 执 热 热 热 热 热

✕ 执　+　灬

◆ 今天很热。　他是一个热心人。

8. 暖　13　Ⓑ　nuǎn　warm

暖 暖 暖 暖 暖 暖 暖 暖 暖 暖 暖 暖 暖

✕ 日　+　爰

◆ 暖气　暖和　温暖

9. 凉　10　liáng　cool, cold

凉 凉 凉 凉 凉 凉 凉 凉 凉

✕ 冫　+　京

◆ 凉快　凉水

茶凉了吗?

10. 冷　7　lěng　cold

冷　冫　冫　冷　冷　冷　冷

◆今天有点儿冷。　你喝热水还是冷水?

11.* 预　10　Ⓑ　yù　in advance

预　了　预　予　予　预　预　预　预　预

予　+　页

◆预报

12.* 报　7　Ⓑ　bào　to report

报　报　报　报　报　报　报

扌　+　艮

◆预报　报告 report

13. 温　12　Ⓑ　wēn　temperature

温　温　温　温　温　温　温　温　涓　温　温　温

氵　+　昷

◆温度　气温　水温

气候温和　a mild climate

语气温和　a soft tone

14. 度　9　dù　degree

度　度　度　庅　度　度　度　庹　度

广　+　廿　+　又

◆温度　高度 height　30 度

15. 低　7　dī　low

低　低　低　低　低　低　低

⋈ 亻 ＋ 氐

◆ 今天的温度比较低。

16. 乡 3 Ⓑ xiāng countryside, village; native place

⋈ 乡 乡 乡

◆ 家乡 乡下 countryside

同乡 a person from the same village, town or province

17. 更 7 gèng more

⋈ 更 更 更 更 更 更 更

◆ 这个也不错，不过，那个更好。

18. 晴 12 qíng sunny

⋈ 晴 晴 晴 晴 晴 晴 晴 晴 晴 晴 晴 晴

⋈ 日 ＋ 青

◆ 晴天 天晴了。

19. 云 4 yún cloud

⋈ 云 云 云 云

◆ 明天多云。 天上的云很漂亮。

20. 雨 8 yǔ rain

⋈ 雨 雨 雨 雨 雨 雨 雨 雨

◆ 下雨 大雨 小雨

昨天晚上下了一场 cháng 大雨。

外面雨下得很大。

21. 雪 11 xuě snow

⋈ 雪 雪 雪 雪 雪 雪 雪 雪 雪 雪 雪

⋈ 雨 ＋ 彐

◆ 下雪 昨天下了一场 cháng 大雪。
昨天晚上的雪真大！

22.* 刮 8 guā to blow

刮 刮 刮 刮 舌 舌 刮 刮

舌 + 刂

◆ 外面在刮大风。

23. 风 4 fēng wind

风 几 凤 风

◆ 明天有大风。 外面风很大。

24.* 滑 12 huá to slip; slippery

滑 滑 滑 滑 滑 滑 滑 滑 滑 滑 滑 滑

氵 + 骨

◆ 滑冰 滑雪
路上有冰，很滑。
他滑了一下。
小心地滑。

25. 冰 6 bīng ice

冰 冰 冰 冰 冰 冰

冫 + 水

◆ 滑冰
地上有冰。
要一杯冰水。
冬天的北方，冰天雪地。

26. 游 12 yóu to swim

游 游 游 游 游 游 游 游 游 游 游

◗ 氵 + 斿

◆ 游泳　旅游　to travel
在水里游

27. 泳　8　Ⓑ　yǒng　to swim

◗ 泳 泳 泳 泳 汀 冴 泳 泳

◗ 氵 + 永

◆ 游泳

28. 短　12　duǎn　short

◗ 矢 短 短 短 短 短 短 短 短 短 短

◗ 矢 + 豆

◆ 时间很短　这条马路很短
她的头发短短的。

29. 差　9　chà　fall short of; bad, different

◗ 差 差 差 差 差 差 差 差 差

◗ 羊 + 工

◆ 差不多
现在是十点差五分。
他的汉语比我差多了。

30. 极　7　jí　very

◗ 极 极 极 极 极 极 极

◆ 好极了！

31. 叶　5　Ⓑ　yè　leaf

◗ 叶 叶 叶 叶 叶

◗ 口 + 十

◆ 叶子 leaf　树叶

写汉字 Xiě Hànzì **Writing**

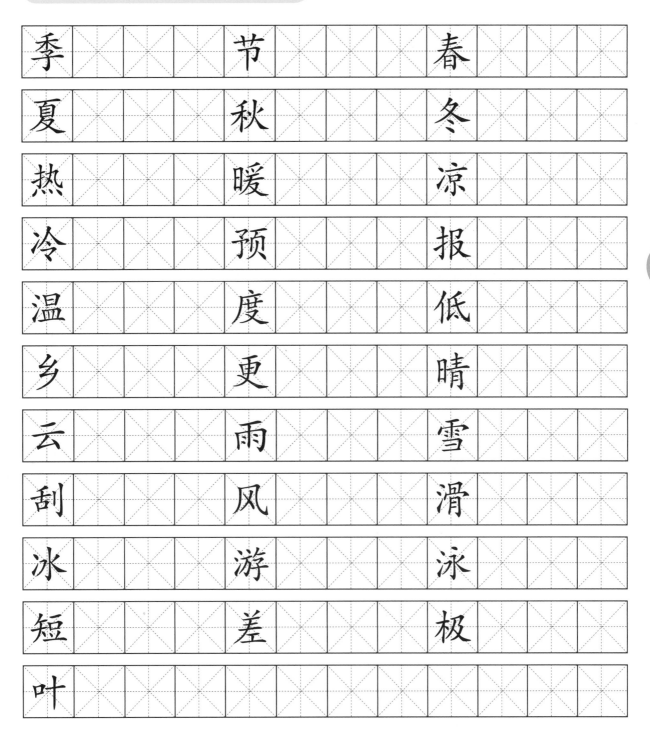

季				节				春			
夏				秋				冬			
热				暖				凉			
冷				预				报			
温				度				低			
乡				更				晴			
云				雨				雪			
刮				风				滑			
冰				游				泳			
短				差				极			
叶											

Unit
5

练 习 Liànxí **Exercises**

一、写出含有下列偏旁的汉字：

Write Chinese characters containing these radicals.

冫 liǎngdiǎnshuǐ　　　　(the "ice" side)

氵 sāndiǎnshuǐ　　　　(the "water" side)

灬 sìdiǎndǐ　　　　(the "fire" bottom)

日 rìzìpáng　　　　(the "sun" side)

二、写出用下列汉字作为部件的字：

Write Chinese characters with these components.

雨

京

水

更

火

三、组词：

Form words.

泳（　　　　）　　冰（　　　　　　）

爱（　　　　）　　暖（　　　　　　）

请（　　　　）　　晴（　　　　　　）

度（　　　　）　　麻（　　　　　　）

季（　　　　）　　秋（　　　　　　）

四、看拼音写汉字：

Write Chinese characters according to the pinyin.

1. Wǒ zuì xǐhuan qiūtiān.

2. Wǒ jiāxiāng de tiānqì bǐ zhèr hǎo.

3. Jīntiān yìdiǎnr yě bù lěng.

4. Míngtiān huì bu huì xià yǔ?

五、猜一猜下面的句子是什么意思：

Guess the meanings of these sentences.

  1. 他的家乡一年四季都很暖和，他从来没见过雪。

  2. 今天北京的最高温度是四十一度，是历史上气温最高的一天。

  3. 在我们的地球上，空气一年比一年差了，气候一年比一年热了。

  4. 那个地方冬天太冷，夏天太热，春天雨水太多，只有秋天还比较舒服。

  5. 我喜欢夏天，因为可以去游泳；我也喜欢冬天，因为可以去滑雪；我也喜欢春天，因为春天是美丽的季节；我也喜欢秋天，因为我的生日在秋天。

Unit
5

汉字知识 Hànzì Zhīshi About Chinese characters

The Chinese language has a large vocabulary. However, only a select few characters are commonly used. For instance, *The Selected Works of Mao Zedong*, Volumes 1 – 4, is a 660,273-word anthology, but it contains only 2981 different characters. The famous literary work, *Dream of the Red Chamber*, Chapters 1 – 80, is a 501,113-word novel, but it contains only 3264 different characters.

Unit 6

Wǒ Lǎojiā Zài Dōngběi
我 老家 在 东北
My Hometown Is in the Northeast

 汉 字 Hànzì **Chinese characters**

1. 农 6 Ⓑ nóng farming

农 农 农 农 农 农

◆ 农村 农业 nóngyè agriculture 农民 nóngmín farmer

2. 村 7 cūn Ⓑ village

村 村 村 村 村 村 村

▸ 木 + 寸

◆ 农村 一个小村子

村里有一个老人。

3. 北 5 běi Ⓑ north

北 北 北 北 北

◆ 北方 北部 北面 北边
东北 西北

4. 南 9 Ⓑ nán south

南 南 南 南 南 南 南 南 南

◆ 南方 南部 南边 南面

东南　西南

5. 环　8　Ⓑ　huán　circle

环 环 环 环 环 环 环 环

王　+　不

◆ 环境

6. 境　14　Ⓑ　jìng　border, place, situation

境 境 境 境 境 境 境 境 境 境 境 境 境 境

土　+　竟

◆ 环境　边境 border, frontier

7. 交　6　jiāo　to cross; hand in

交 交 交 交 亣 交

◆ 交通　交钱　交朋友 make friends

8. 通　10　tōng　through; to pass

通 通 甬 甬 甬 甬 通 通 通 通

甬　+　辶

◆ 交通

这条马路不通。　电话不通。

这条河通往哪儿?

9. 闹　8　nào　Ⓑ　noisy

闹 闹 闹 闹 闹 闹 闹 闹

门　+　市

◆ 热闹　闹钟　alarm clock

10. 吵　7　chǎo　make noise; to quarrel; noisy

吵 吵 吵 吵 吵 吵 吵

口 + 少

◆ 别吵了！ 外面太吵了！

11. 龙 　5 lóng dragon

龙 龙 尤 龙 龙

◆ 一条龙 你见过龙吗？

12. 死 　6 sǐ to die; dead; extremely

死 死 死 死 死 死

◆ 他已经死了。 一条死鱼。 外面吵死了！

13. 部 　10 Ⓑ bù part, section

部 部 部 部 部 部 部 部 部 部

音 + 阝

◆ 北部 东部 部分 part

外交部 the Ministry of Foreign Affairs

14. 楼 　13 lóu building, floor

楼 楼 楼 楼 楼 楼 楼 楼 楼 楼 楼 楼 楼

木 + 娄

◆ 一个大楼 高楼 他住在三楼。

15. 层 　7 céng story, floor

层 层 层 层 层 层 层

尸 + 云

◆ 五层楼 他住在三层。

16. 卧 　8 wò lie down

卧 卧 卧 卧 卧 卧 卧 卧

臣 + 卜

◆卧室　卧铺（wòpù）sleeping berth

17. 室　9　Ⓑ　shì　room

室 室 室 室 室 室 室 室 室

宀 + 至

◆教室　办公室　office　地下室

18. *厨　12　Ⓑ　chú　cooking

厨 厨 厨 厨 厨 厨 厨 厨 厨 厨 厨 厨

厂 + 尌

◆厨房　厨师　chef

19. 卫　3　Ⓑ　wèi　to defend

卫 卫 卫

◆卫生 hygiene　卫生间 bathroom, washroom, toilet

卫生纸 toilet paper

卫兵 guard　卫星　satellite

20. 库　7　Ⓑ　kù

库 库 库 库 库 库 库

广 + 车

◆车库　水库 reservoir

21. 树　9　shù　tree

树 树 树 树 树 树 树 树 树

木 + 对

◆一棵 kē 树　树叶

22. 海　10　hǎi　sea

海 海 海 海 海 海 海 海 海

氵 + 每

◆ 大海　在海边

23. 开　4　kāi　to open; turn on; set up; to drive

开 开 开 开

◆ 开门　开电视　开汽车　开公司
花开了。　火车开了。

24. 散　12　Ⓑ　sàn　to disperse, to distribute

散 散 散 散 散 散 散 散 散 散 散 散

散 + 攵

◆ 散步

25. 步　7　bù　step

步 步 步 步 步 步 步

◆ 散步　走一步
你进步 making progress 很快。
你的汉语有了很大的进步 (progress)。

26. 需　14　Ⓑ　xū　to need

需 需 需 需 需 需 需 需 需 需 需 需 需 需

需 + 而

◆ 需要
从我家到学校需要半个小时。

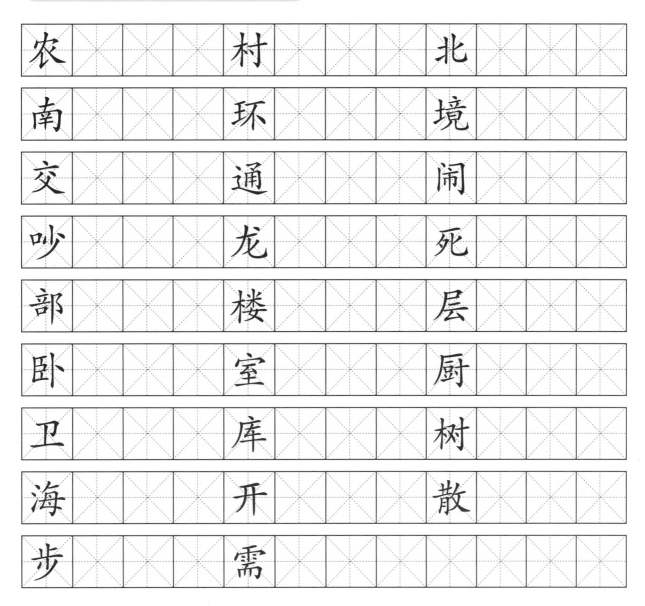

农				村				北				
南				环				境				
交				通				闹				
吵				龙				死				
部				楼				层				
卧				室				厨				
卫				库				树				
海				开				散				
步				需								

Unit
6

 练 习 Liànxí **Exercises**

一、给下面的多音字注音:

Transcribe the polyphonic characters below into pinyin.

（1）这儿交通很方便。

这儿的东西真便宜!

（2）你什么时候有空?

农村空气新鲜，环境优美。

（3）他走得很快。

从这儿去市中心你得坐地铁。

（4）你还想买点儿什么？

这本书我下个星期还你，可以吗？

（5）房间里很干净。

星期天你打算干什么？

（6）衬衫和裤子我都要买。

春天很暖和。

二、写出以下面的汉字为部件的字：

Write Chinese characters with these components.

交

市

少

母

至

车

云

三、组词：

Form words.

衣（　　　　　）　　农（　　　　　　　）

南（　　　　　）　　商（　　　　　　　）

道（　　　　　）　　通（　　　　　　　）

村（　　　　　）　　树（　　　　　　　）

四、看拼音写汉字：

Write Chinese characters according to the pinyin.

1. Wǒ jiā běibian shì shān, nánbian shì gōngyuán.

2. Yuànzi li yǒu hěn duō shù hé huār.

3. Chīwán wǎnfàn, wǒ chángcháng qù gōngyuán li sànbù.

4. Nàr yìdiǎnr yě bù hǎo, chǎosǐ le!

五、猜一猜下面的句子是什么意思：

Guess the meanings of these sentences.

1. 外面太吵了，我不能休息。

2. 我家附近是公园，公园里有很多树，树上有很多鸟儿。

3. 我需要一个好一点儿的工作环境，现在的工作环境太差了！

4. 他住楼上，我住楼下。我天天上楼去看他，他天天下楼来看我。

5. 这个城市环境越来越美丽了，商店越来越多了，交通越来越方便了。

6. 昨天晚上我家来了十几个客人，我们一起唱歌、跳舞，热闹极了。

汉字知识 Hànzì Zhīshi **About Chinese characters**

In the transliteration of foreign words into Chinese characters, different characters may suggest different associations in meaning or engender very different images. Transliteration is quite an art. Benz, the famous German car company, is commonly transliterated in China as 奔驰, (bēnchí galloping; fleet). Currently, some people transliterate e-mail as 伊妹儿 (yīmèir young sister). What do you think of this transliteration?

Unit 7

我 学过 半 年 汉语

I Have Studied Chinese for Half a Year

汉 字 Hànzì **Chinese characters**

1. 介 4 Ⓑ jiè in between

介 介 介 介

◆ 我来介绍一下，这位是我的朋友小王。

2. 绍 8 Ⓑ shào to introduce; carry on

绍 绍 绍 绍 绍 绍 绍 绍

纟 + 召

◆ 我来自我介绍一下，我姓王，叫王英。

3. 专 4 Ⓑ zhuān particular, special

专 专 专 专

◆ 专业 专家 expert

他看书看得非常专心 be absorbed

4. 业 5 Ⓑ yè line of business

业 业 业 业 业

◆ 专业　工业 industry　农业 agriculture　作业 homework

5. 级 6 jí grade, rank, level

级 级 级 级 级 级

纟 + 及

◆ 一年级 grade one　高级 senior; high ranking

中级 middle level; intermediate

初级 chūjí elementary, primary

一级茶 grade A tea; first-class tea

6.* 普 12 Ⓑ pǔ common, ordinary

普 普 普 普 普 普 普 普 普 普 普 普

並 + 日

◆ 普通 ordinary　普遍 common

我是一个普普通通的人，住在一个普普通通的地方。

7. 力 2 Ⓑ lì strength, ability

力 力

◆ 听力　他很有能力 nénglì ability

他的话很有力 (yǒulì, strong, powerful)。

8.* 阅 10 Ⓑ yuè to read

阅 阅 门 门 阅 阅 阅 阅 阅 阅

门 + 兑

◆ 阅读

9. 读 10 dú to read

读 读 读 读 读 读 读 读 读 读

讠 + 卖

◆ 阅读　读书

10.* 标　9　Ⓑ　biāo　mark

标 标 标 标 标 标 标 标 标

扌　+　示

标准

11.* 准　10　zhǔn　standard, criterion; exact

准 准 准 准 准 准 准 准 准

标准　准时　on time

我的手表 (shǒubiǎo, watch) 有时候快，有时候慢，不太准。

12. 清　11　qīng　clear

清 清 清 清 清 清 清 清 清 清

氵　+　青

清楚　冷清 desolate　河里的水很清。

13. 楚　13　Ⓑ　chǔ　clear

楚 楚 楚 楚 楚 楚 楚 楚 楚 楚 楚 楚 楚

林　+　疋

清楚

14. 练　8　liàn　to practice

练 练 练 练 练 练 练 练

纟　+　东

练习　这个语法你再练练。

15. 谈　10　tán　to talk

谈 谈 谈 谈 谈 谈 谈 谈 谈 谈

讠　+　炎

你们在谈什么？

昨天晚上我跟她谈了一个小时的话。

16. 互　4　Ⓑ　hù　each other

互　工　互　互

◆互相

17. 相　9　Ⓑ　xiāng　each other

相　十　才　村　相　机　相　相　相

Ⓧ 木　+　目

◆互相

他们相爱 (fall in love) 了。

18. 品　9　Ⓑ　pǐn　article, product

品　品　品　品　品　品　品　品　品

◆食品　工业品 industrial products

19. 句　5　jù　sentence

句　勹　句　句　句

◆一个句子　一句话

20. 考　6　kǎo　to test

考　考　考　考　考　考

Ⓧ 耂　+　丂

◆考试　我要考考你们。

明天考什么？考听力还是考口语？

21. 试　8　shì　to test, to try

试　试　试　试　试　试　试　试

Ⓧ 讠　+　式

◆考试　我能不能试一试？

22. 始　8　Ⓑ　shǐ　to begin

始 始 始 始 始 始 始 始

女 ＋ 台

◆ 开始

23. 结　9　Ⓑ　jié　tie, knot; to end

结 结 结 结 结 结 结 结 结

纟 ＋ 吉

◆ 考试结束了。

24. 束　7　Ⓑ　shù　to bind, to control; bundle, bunch

束 束 束 束 束 束 束

◆ 结束　一束鲜花 a bunch of flowers

25. 忘　7　wàng　to forget

忘 忘 忘 忘 忘 忘 忘

亡 ＋ 心

◆ 对不起，我忘了你的名字。

26.* 慢　14　màn　slow

慢 慢 慢 慢 慢 慢 慢 慢 慢 慢 慢 慢 慢 慢

忄 ＋ 曼

◆ 汽车开得很慢。　他的进步慢，我的进步快。

27. 努　7　Ⓑ　nǔ　exert (one's efforts)

努 努 努 努 努 努 努

奴 ＋ 力

◆ 努力工作　努力学习

28. 难　10　nán　difficult

フ　ヌ　ヌ　ヌ　ヌ　ヌ　难　难　难

又 ＋ 隹

◆ 汉语不太难。

29. 容　10　Ⓑ　róng

容　容　容　容　容　容　容　容　容　容

◆ 容易

30. 易　8　Ⓑ　yì　easy

｜　口　日　日　月　易　易　易

日 ＋ 勿

◆ 容易

31.* 糊　15　Ⓑ　hú　plaster

糊　糊　糊　半　半　糊　米　米　米　米　米　糊　糊　糊　糊

米 ＋ 胡

◆ 糊涂

32.* 涂　10　Ⓑ　tú　mud; spread on

涂　涂　涂　涂　涂　涂　涂　涂　涂　涂

氵 ＋ 余

◆ 糊涂 hútu

33. 钟　9　zhōng　clock

丿　钟　钟　钟　钟　钅　钅　钅　钟

钅 ＋ 中

◆ 我没有钟、没有表 (biǎo, watch)，不知道时间。

现在几点钟？　从我家到公司需要三刻钟。

34. 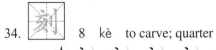 8　kè　to carve; quarter

　　▶◀ 刻　刻　亥　亥　亥　亥　刻　刻

　　▶◀ 亥　＋　刂

　　◆ 一刻钟　三刻钟

35. 种 9　zhǒng　kind, sort

　　▶◀ 种　二　千　禾　禾　禾　和　和　种

　　▶◀ 禾　＋　中

　　◆ 我不喜欢这种人。　这种鱼我以前在我家乡见过。

36. 遍 12　biàn　once through; a time

　　▶◀ 遍　遍　遍　户　户　肩　肩　扁　遍　遍　遍

　　✕ 扁　＋　辶

　　◆ 普遍

　　一遍　两遍　三遍

　　请再说一遍。

 写汉字 Xiě Hànzì **Writing**

介			绍			专
业			级			普
力			阅			读
标			准			清

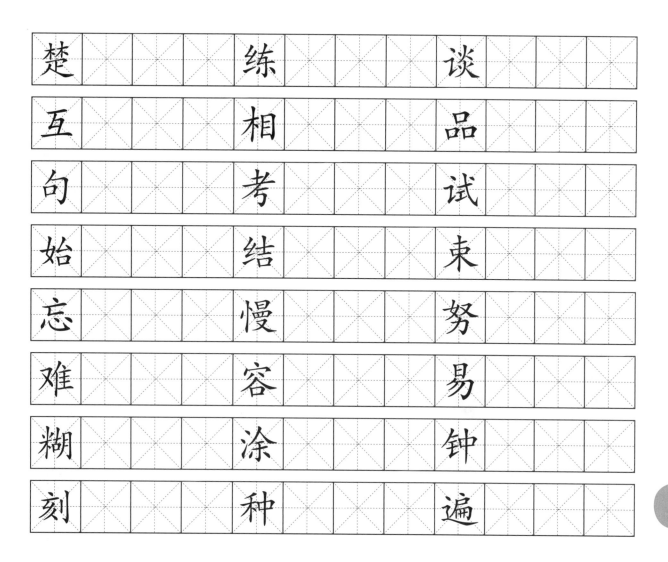

楚			练			谈			
互			相			品			
句			考			试			
始			结			束			
忘			慢			努			
难			容			易			
糊			涂			钟			
刻			种			遍			

Unit
7

练 习 Liànxí **Exercises**

一、根据上下文写出同音字：

Fill in the blanks according to the context, using homophonic characters.

我家乡的春天，美丽_____（jí）了。

我上大学三年_____（jǐ）。

请问，您贵_____（xìng）？

今天他有点儿不高_____（xìng）。

你打算什么_____（shí）候去？

我买了一些_____（shí）品。

请你＿＿＿（zài）说一遍。

你们别吵，他＿＿＿（zài）睡觉。

汉语不＿＿＿（nán）学。

＿＿＿（nán）同学都去打球了。

我家＿＿＿（nán）边是一个学校。

从这儿去＿＿＿（shì）中心怎么走？

你看电＿＿＿（shì）看得太多了。

明天有口语考＿＿＿（shì）。

你们在哪个教＿＿＿（shì）上课？

二、写出以下列汉字为部件的字：

Write characters with these components.

卖

力

青

亥

中

火

相

三、组词：

Form words.

刻（　　　　　）　　孩（　　　　　）

容（　　　　　）　　客（　　　　　）

难（　　　　　）　　准（　　　　　）

考（　　　　　）　　老（　　　　　）

钟（　　　　　）　　种（　　　　　）

请（　　　　　）　　清（　　　　　）　　晴（　　　　　　　　）

四、看拼音写汉字：

Write Chinese characters according to the pinyin.

1. Wǒ shì Hànyǔ zhuānyè sān niánjí xuésheng.

2. Wǒ tīng de bú tài qīngchu.

3. Jīntiān de kèwén nán bu nán?

4. Wǒmen hùxiāng bāngzhù, hùxiāng xuéxí.

五、猜一猜下面的句子是什么意思：

Guess the meanings of these sentences.

1. 他说得非常清楚，我听得十分明白。

2. 今天早上我走的时候忘了关门，真糊涂！

3. 这是一个热门专业，读这个专业的人特别多。

4. 在介绍他自己的时候，他说他是一个普普通通的人。

5. 老师说，这次听力考试很容易，人人都能通过。

汉字知识 Hànzì Zhīshi **About Chinese characters**

When introducing oneself to another party, one will often specify the characters of one's name by explaining how to write them. There are basically two ways to do this. One way is to identify the components or the strokes of the surname; for example: 林 of double 木, 李 of 木 and 子, 吴 of 口 and 天, 陈 of 耳 and 东, and 王 of three horizontal strokes and one vertical stroke. The other way is to refer to a common term or phrase which contains the character(s) in your name; for example: 叶 of 树叶, 金 of 黄金.

Another example: 我叫陈静，耳东陈，安静的静。

Unit **8** | Huǒchēpiào Màiwán Le
火车 票 卖完 了
The Train Tickets Are Sold Out

汉 字 Hànzì **Chinese characters**

1. 金   8   Ⓑ   jīn   gold, metal

    金 金 金 金 全 全 金 金

    ◆ 金融   黄金 gold   金子 gold

2.* 融   16   Ⓑ   róng   to melt, to circulate

    融 融 融 融 融 鬲 鬲 鬲 鬲 鬲 融 融 融 融 融

    鬲   +   虫

    ◆ 金融

3. 贸   9   Ⓑ   mào   (to) trade

    贸 贸 贸 贸 贸 贸 贸 贸 贸

     卯   +   贝

    ◆ 贸易   外贸

4. 场   6   cháng, chǎng   field

    场 场 场 场 场 场

     土   +   易

◆ 市场 chǎng

下了一场 cháng 大雨   看了一场 chǎng 电影

5. 领 11 lǐng to lead

⋈ 丿 冫 刍 领 令 领 领 领 领 领 领

⋈ 令 + 页

◆ 领导

他领我们参观了他的公司。

6. 导 6 Ⓑ dǎo to guide

⋈ 孑 寻 巳 寻 导 导

✗ 巳 + 寸

◆ 领导   导游 tourist guide

7. 理 11 lǐ reason; pay attention to

⋈ 理 理 理 理 理 理 理 理 理 理 理

⋈ 王 + 里

◆ 经理   有道理 reasonable

这些人不是好人，别理他们。 Don't pay attention to them.

Unit
8

8. 手 4 shǒu hand

⋈ 手 手 手 手

◆ 左手   右手   他手里拿着一本书。

9. 信 9 xìn letter; to believe

⋈ 信 信 信 信 信 信 信 信 信

⋈ 亻 + 言

◆ 一封信   寄信   短信

相信 to believe   信心 confidence

10.* 推 11 tuī to push

推 推 推 推 推 推 推 推 推 推

扌 + 隹

他推开门进去了。 他推着自行车走。

活动推迟了。

11. 安 6 Ⓑ ān calm; at ease; to arrange

安 安 安 安 安 安

宀 + 女

在这儿生活很安全 (ānquán, safe)。

这个星期天有什么安排?

12. 排 11 Ⓑ pái line up

排 排 排 排 排 排 排 排 排 排

扌 + 非

安排 排队 queue up (to form a line)

13. 访 6 Ⓑ fǎng (to) visit; call on

访 访 访 访 访 访

讠 + 方

访问

14. 加 5 jiā to add

力 力 加 加 加

参加 二加二等于 (děngyú, equal to) 四。

15. 航 10 Ⓑ háng to navigate (by water or air)

航 航 航 航 航 航 航 航 航 航

```
▸▸◁舟  +  亢
◆ 航班   航空公司   在海上航行了一个月
```

16. 班 10 bān class

```
凶班 班 班 班 班 班 班 班 班
```

```
凶王  +  丿  +  王
```

◆ 航班   班级   我们班   两个班

班里有二十个学生。

17.* 故 9 Ⓑ gù incident, happening; old

```
凶故 故 故 故 故 故 故 故
```

```
凶古  +  攵
```

◆ 事故 accident   故事 story

18.* 警 19 Ⓑ jǐng to alert, to warn; police

```
凶警警警警芍芍苟苟荀警敬敬警警警警警
```

```
◤敬  +  言
```

◆ 警察   警车 police car   警告 warning

19.* 察 14 Ⓑ chá to examine

```
凶察 察 察 察 察 察 察 察 察 察 察 察 察
```

```
◤宀  +  祭
```

◆ 警察

20. 伞 6 sǎn umbrella

```
凶伞 伞 伞 伞 伞 伞
```

◆ 一把 bǎ 雨伞

21. 背 9 bèi back (N.)   bēi carry on the back (V.)

背 背 背 背 背 背 背 背 背

✖ 北 ＋ 月

◆ 背上 (bèi shang) 背 (bēi) 了一个背包 (bēibāo, knapsack)

22. 果　8　Ⓑ　guǒ　fruit

果 果 果 杲 杲 果 果 果

◆ 结果　水果

23.* 检　11　Ⓑ　jiǎn　to check, to inspect

检 检 检 检 检 检 检 检 检 检 检

◀▶ 木 ＋ 佥

◆ 检查身体

24.* 查　9　chá　to check, to examine

查 查 查 查 杳 杳 查 查 查

✖ 木 ＋ 旦

◆ 检查　你常常查词典吗?

25. 修　9　xiū　to repair

修 修 修 修 修 修 修 修 修

◀▶ 亻 ＋ 彡

◆ 修马路　修电视机　修理 (to repair) 电视机

我的自行车坏了，请你修一下。

26. 撞　15　zhuàng　bump against; run into; to collide

撞 撞 撞 撞 撞 撞 撞 撞 撞 撞 撞 撞 撞 撞

◀▶ 扌 ＋ 童

◆ 他撞倒了一个行人。　两辆汽车相撞了。

27. 摔　14　shuāi　fall down

▷◁ 摔 摔 摔 摔 摔 摔 摔 摔 摔 摔 摔 摔 摔 摔

▷◁ 扌 + 率

◆ 摔倒

28. 倒　10　dǎo　fall down

▷◁ 倒 倒 倒 倒 倒 倒 倒 倒 倒 倒

▷◁ 亻 + 到

◆ 撞倒　路上太滑，他不小心摔倒了。

29. 伤　6　shāng　to hurt

▷◁ 伤 伤 伤 伤 伤 伤

▷◁ 亻 + 㐅

◆ 他受伤了。　别伤害她。

　　女朋友跟他分手 (split up) 了，他很伤心 (sad)。

30. 坏　7　huài　bad

▷◁ 坏 坏 坏 坏 坏 坏 坏

▷◁ 土 + 不

◆ 好事不出门，坏事传千里。

　　我的雨伞坏了，不能用了。

31. 破　10　pò　broken

▷◁ 破 破 破 破 破 破 破 破 破 破

▷◁ 石 + 皮

◆ 衣服破了。　他穿着一件破衣服。

他打破了一个杯子。

32. 着　11　zhe

着 着 着 着 着 着 着 着 着 着 着

羊 + 目

门开着，可是里面没人。

他手里拿着一本书。

金			融			贸		
场			领			导		
理			手			信		
推			安			排		
访			加			航		
班			故			警		
察			伞			背		
果			检			查		

修			撞			摔		
倒			伤			坏		
破			着					

练 习 Liànxí Exercises

一、写出含有下列偏旁的汉字：

Write Chinese characters containing these radicals.

扌　tíshǒupáng　　（the "hand" side）

亻　dānrénpáng　　（the "single-person" side）

王　wángzìpáng　　（the "jade" side）

土　títǔpáng　　（the "earth/soil" side）

二、补上丢失的笔画：

Fill in the missing strokes.

修　摔　航　伞　撞

三、组词：

Form words.

休（　　　　）　体（　　　　）
绍（　　　　）　结（　　　　）
非（　　　　）　排（　　　　）
到（　　　　）　倒（　　　　）
专（　　　　）　传（　　　　）
着（　　　　）　看（　　　　）
杯（　　　　）　坏（　　　　）　　　环（　　　　）

四、看拼音写汉字：

Write Chinese characters according to the pinyin.

1. Nǐ fùmǔqin de shēntǐ zěnmeyàng?

2. Wǒ de yǔsǎn huài le, děi xiū yíxià.

3. Shénme shíhou néng zhīdao kǎoshì de jiéguǒ?

4. Lǐngdǎo ānpái wǒ zuò zhège gōngzuò.

五、猜一猜下面的句子是什么意思：

Guess the meanings of these sentences.

1. 你今天晚上有什么安排？

2. 前面发生了交通事故，警察马上就来。

3. 他身体不舒服，今天在家里休息，不能来上课了。

4. 刚才经理说的话一点儿没有道理，所以我们都没理他。

5. 路上太滑，他骑自行车摔倒了，摔伤了手，摔破了衣服，摔坏了自行车。

汉字知识 Hànzì Zhīshi **About Chinese characters**

Chinese characters have a definite influence on modern written Chinese. For example, some polysyllabic words in spoken Chinese are frequently not written out in their entirety. For instance, 但是 is often written as 但; 如果 as 如; 明天晚上 as 明晚; and 的时候 as 时. Sometimes, disyllabic words in spoken Chinese are written as one word; for example, 海里 is written as 浬. Words with the retroflex ending in spoken Chinese are often written without the retroflex ending. Some characters, which in spoken Chinese are exclusively used together with other characters to form words, can also be used by themselves in the written language. Such characters are sometimes difficult to understand when a text is read aloud.

Unit 9

现在 就可以 搬 进去

You Can Move In Right Away

 汉 字 Hànzì **Chinese characters**

1.* 寓 12 Ⓑ yù residence

 寓 寓 寓 寓 寓 寓 寓 寓 寓 寓 寓 寓

宀 + 禺

◆ 公寓

2. 套 10 tào a set of

套 套 套 套 套 套 套 套 套 套

大 + 丢

◆ 一套书

3. 租 10 zū to rent; rent out

 租 租 租 租 租 租 租 租 租 租

禾 + 且

◆ 出租房子 租一个公寓 租金 房租

4. 签 13 qiān to sign

签 签 签 签 签 签 签 签 签 签 签 签 签

⋈ 竹 + 佥

◈ 签字　签合同

5. 合　　6　hé　to close; together

⋈ 合 合 合 合 合 合

◈ 合同　合唱 chorus　合法 legal　合作 to cooperate

他跟我很合得来 (get along well)，她跟我合不来。

请大家合上课本。

这件衣服很合身 (fit)。

6. 付　　5　fù　to pay

⋈ 付 付 付 付 付

⋈ 亻 + 寸

◈ 付钱

7. 押　　8　Ⓑ　yā　to mortgage

⋈ 押 押 押 押 押 押 押 押

⋈ 扌 + 甲

◈ 押金

8. 带　　9　dài　to carry

⋈ 带 带 带 带 带 带 带 带 带

✕ 丗 + 巾

◈ 带来 to bring　带去 to take　词典带了没有？

9. 搬　　13　bān　to move

⋈ 搬 搬 搬 搬 搬 搬 搬 搬 搬 搬 搬

⋈ 扌 + 般

◈ 搬家

你们搬到哪儿去？

请搬一张桌子进来。

10. 锻　14　Ⓑ　duàn　to forge

Ⓜ 丿 钅 钅 钅 锻 锻 锻 锻 锻 锻 锻 锻 锻

Ⓜ 钅 ＋ 段

◆ 锻炼

11. 炼　9　Ⓑ　liàn　temper with fire

Ⓜ 炼 炼 炼 炼 炼 炼 炼 炼 炼

Ⓜ 火 ＋ 东

◆ 锻炼身体

12. 累　11　lèi　tired

Ⓜ 累 累 累 累 累 累 累 累 累 累 累

✖ 田 ＋ 糸

◆ 工作了一天，真累！

13. 梯　11　Ⓑ　tī　ladder, steps

Ⓜ 梯 梯 梯 梯 梯 梯 梯 梯 梯 梯 梯

Ⓜ 木 ＋ 弟

◆ 电梯　楼梯 stairs　梯子 ladder

14. 视　8　Ⓑ　shì　look at

Ⓜ 视 视 视 视 视 视 视 视

Ⓜ 礻 ＋ 见

◆ 电视　视力 eyesight　近视 nearsighted

15. 箱　15　Ⓑ　xiāng　box, case

Ⓜ 箱 箱 箱 箱 箱 箱 箱 箱 箱 箱 箱 箱 箱 箱 箱

✖ 竹 ＋ 相

◆ 冰箱　箱子　旅行箱

16. 洗　9　xǐ　to wash

⋈ 洗 洗 洗 洗 洗 洗 洗 洗 洗

⋈ 氵 + 先

◆ 洗衣服　洗衣机

17. 像　13　xiàng　alike; be like sth./sb.

⋈ 亻 像 像 像 像 像 像 像 像 像 像 像 像

⋈ 亻 + 象

◆ 姐姐和妹妹很像 (be alike)。 他像 (be like) 他妈妈。

这个人我好像 (it seems) 见过，可是忘了他的名字了。

真不像话！

18. 器　16　Ⓑ　qì　machine, utensil

⋈ 器 器 器 器 器 器 哭 哭 哭 哭 哭 哭 哭 器 器 器

⋈ 口 + 口 + 犬 + 口 + 口

◆ 机器　machine　电器

19. 调　10　tiáo　to adjust

⋈ 调 调 调 讷 讷 讷 调 调 调 调

⋈ 讠 + 周

◆ 空调

20. 台　5　tái

⋈ 台 台 台 台 台

◆ 一台电脑

21. 旧　5　jiù　old

⋈ 旧 旧 旧 旧 旧

◆ 旧房子　旧书

旧瓶装新酒。 new wine in an old bottle; new concepts in an old framework

22. 拆 8 chāi tear open; take apart; pull down

拆 拆 拆 拆 拆 拆 拆 拆

才 + 斤

◆ 你怎么可以拆我的信? 他们正在拆房子。

23. 装 12 zhuāng to install, to pack

装 装 装 装 装 装 装 装 装 装 装 装

壮 + 衣

◆ 服装 clothing 包装 to pack; packaging

装上 (load on) 车 装在墙上

24. 如 6 Ⓑ rú if; for example

乀 女 女 如 如 如

女 + 口

◆ 如果 例如 lìrú for example

25. 傅 12 Ⓑ fù teacher, instructor

傅 傅 傅 傅 傅 傅 傅 傅 傅 傅 傅

亻 + 专

◆ 师傅

26. 法 8 Ⓑ fǎ method, way, law

法 法 法 法 法 法 法

◆ 办法 way, means 方法 method 法律 law

法国 France 法语

27.* 答 12 Ⓑ dá to answer

答 答 答 答 答 答 答 答 答 答 答

⺮ + 合

◆ 回答问题

28. 思　9　Ⓑ　sī

思 思 思 思 思 思 思 思 思

田 ＋ 心

◆ 这句话是什么意思？　这个故事很有意思！

给您带来这么多的麻烦，真不好意思！

写汉字 Xiě Hànzì Writing

寓				套				租		
签				合				付		
押				带				搬		
锻				炼				累		
梯				视				箱		
洗				像				器		
调				台				旧		
拆				装				如		
傅				法				答		

思										

 练 习 Liànxí **Exercises**

一、写出含有下列偏旁的汉字：

Write Chinese characters with these radicals.

⺮ zhúzìtóu (the "bamboo" top)

亻 dānrénpáng (the "single-person" side)

扌 tíshǒupáng (the "hand" side)

氵 sāndiǎnshuǐ (the "water" side)

二、补上丢失的笔画：

Supply the missing strokes.

折　　佣　　搬　　锻　　停

三、组词：

Form words.

和（　　　　　） 租（　　　　　）
诉（　　　　　） 拆（　　　　　）
练（　　　　　） 炼（　　　　　）
第（　　　　　） 梯（　　　　　）
想（　　　　　） 箱（　　　　　）
合（　　　　　） 会（　　　　　）
台（　　　　　） 始（　　　　　）
视（　　　　　） 现（　　　　　）

四、看拼音写汉字：

Write Chinese characters according to the pinyin.

1. Tā měi tiān dōu duànliàn shēntǐ.

2. Rúguǒ nǐ xiǎng zū dehua, xiànzài jiù kěyǐ bān jìnqu.

3. Kōngtiáo mǎi-huílai le, hái méi zhuāng shàngqu.

4. Zhèxiē wèntí hétong shang dōu méi xiě qīngchu.

五、猜一猜下面的句子是什么意思：

Guess the meanings of these sentences.

1. 最好的办法是租一辆自行车，走遍全城。

2. 如果你心里有什么想法，就说出来吧。

3. 他们搬家了。搬到哪儿去了，我也不知道。

4. 我想租一个公寓，两千块左右，有电话、有空调的，你能不能帮我找找？

5. 他住在二十一层，有一天，电梯坏了，他只好慢慢儿走上去。从那以后，他就找到了一个锻炼身体的好办法。

汉字知识 Hànzì Zhīshi **About Chinese characters**

A great number of Chinese characters have complex structures with numerous strokes, hence they are very inconvenient to write, and difficult to memorize. Therefore, people have tried to use simpler forms with fewer strokes as substitutes for the more complex forms. The former are called simplified forms and the latter, traditional forms.

Who invented simplified characters? They were not invented by any individual; rather, they evolved gradually by convention over a long period of time. When did simplified characters first appear? One might say that ever since there have been Chinese characters, there have been "lazy" ways of writing them, thus giving rise to simplified characters. According to research, simplified forms existed as far back as the Inscriptions on Bones and Tortoise Shells from the Shang Dynasty, three thousand years ago.

Some of the simplified characters that we use today can be traced back to the pre-Qin era. The following is a chart of simplified characters in chronological order.

The Pre-Qin Period (~221 B.C.): 从个礼气洒杀舍网无虫云……

The Han Dynasty (206 B.C.–200A.D.): 办达复号来麦台万杂灾……

The Wei, Jin, Northern, and Southern Dynasties (220–581): 笔床断离乱猫声双袜邮……

The Sui and Tang Period (581–907): 宝辞干挂怜绳凶庄……

The Song and Yuan Period (960–1368): 边当灯点独对刚过观画还机节旧灵论罗梦难齐亲穷权劝实寿

虽体务铁听厅务阳养医义园远……

The Ming and Qing Period (1368–1911): 帮贝布担胆挡夺奋凤妇赶钢归怀坏欢几艰厉么门脑乔桥扫县爷这……

Of course, these simplified characters were popular only among the common people. They were called "common characters" and did not receive official recognition.

After the founding of the People's Republic of China in 1949, in order to reduce learning difficulties and to promote education, the government started to collect, collate and standardize common and variant characters. After lengthy discussions and careful research, the government announced the "Preliminary Plan to Simplify Chinese Characters" in 1956, and the "Index of Simplified Chinese Characters" in 1964.

Unit
9

Unit 10

Wǒ Kǒngpà Tīng Bu Dǒng

我 恐怕 听不懂

I'm Afraid I Don't Understand

 汉 字 Hànzì **Chinese characters**

1. 京　8　Ⓑ　jīng　capital

京 京 京 京 京 亠 京 京

◆ 北京　南京

2. 剧　10　Ⓑ　jù　drama, play

剧 剧 剧 尸 尸 居 居 居 剧 剧

居　+　刂

◆ 京剧　歌剧 opera　剧场 theater

3. 武　8　Ⓑ　wǔ　connected with boxing skill, swordplay, etc.

武 武 武 武 武 武 武 武

弋　+　止

◆ 武打　武力 force; military force

武装 arms　武器 weapon

4. 戏　6　xì　drama, play

戏 戏 戏 戏 戏 戏

◀ 又 + 戈

◆ 看戏　戏剧

5. 影　15　Ⓑ　yǐng　shadow, image, picture

◀ 影 影 影 影 影 影 影 影 影 影 影 影 影 影 影

◀ 景 (日 + 京) + 彡

◆ 电影　影子 shadow　这是我们班同学的合影 (héyǐng group photo)。

6. 夫　4　Ⓑ　fu

◀ 夫 二 夫 夫

◆ 功夫

7. 演　14　yǎn　to perform

◀ 演 演 演 演 演 演 演 演 演 演 演 演 演 演

◀ 氵 + 寅

◆ 他们演得很好。

演员　导演 direct (a film, play); director

演出 to perform; performance

8. 员　7　Ⓑ　yuán　a person engaged in a certain field

◀ 员 员 员 员 员 员 员

◀ 口 + 贝

◆ 演员　服务员 fúwùyuán　attendant, waiter, waitress

9. 座　10　zuò　seat

◀ 座 座 座 座 座 座 座 座 座

◀ 广 + 坐

◆ 座位

一座大楼　一座大山

10. 睛 13 Ⓑ jīng eyeball

晴 晴 晴 晴 晴 晴 晴 晴 晴 晴 晴 晴 晴

目 + 青

眼睛

11. 报 7 bào newspaper report

报 报 报 报 报 报 报

扌 + 艮

报纸 报告 report

人民日报 Rénmín Rìbào *People's Daily*

他天天看报。

12. 纸 7 zhǐ paper

纸 纸 纸 纸 纸 纸 纸

纟 + 氏

一张纸

纸上写着什么？

13. 杂 6 Ⓑ zá mixed, diverse

杂 杂 杂 杂 杂 杂

九 + 木

买一本杂志

14. 志 7 Ⓑ zhì record, ideal

志 志 志 志 志 志 志

士 + 心

杂志 同志 comrade

15. 懂 15 dǒng to understand

懂 懂 懂 懂 懂 懂 懂 懂 懂 懂 懂 懂 懂 懂 懂

忄 + 董 (艹 + 重)

◆ 听懂　看懂　你懂不懂我的意思?

16.* 堵　11　dǔ　stop up; block up

堵 堵 堵 堵 堵 堵 堵 堵 堵 堵 堵

土 + 者

◆ 堵车　车太多，马路有点堵。

17. 赶　10　gǎn　rush for

赶 赶 赶 赶 赶 赶 赶 赶 赶 赶

走 + 干

◆ 你赶几点的飞机?

18. 挺　9　tǐng　very

挺 挺 挺 挺 挺 挺 挺 挺 挺

扌 + 廷

◆ 挺好　挺不错

19. 平　5　píng　flat, level, even, smooth

平 平 平 平 平

◆ 平时　公平 fair

马路不平 (flat)。

Unit 10

20. 运　7　Ⓑ　yùn　motion, movement

运 运 运 运 运 运 运

云 + 辶

◆ 运动

21. 爬　8　pá　to climb

爬 爬 爬 爬 爬 爬 爬 爬

爪 ＋ 巴

◆ 爬山　爬上去　爬到山顶

22. 顶　8　Ⓑ　dǐng　top

顶 顶 顶 顶 顶 顶 顶 顶

丁 ＋ 页

◆ 山顶　头顶

23. 跑　12　pǎo　to run

跑 跑 跑 跑 跑 跑 跑 跑 跑 跑 跑 跑

足 ＋ 包

◆ 他天天早上跑步。　他跑得没有我快。

24. 拳　10　quán　fist

拳 拳 拳 拳 拳 拳 拳 拳 拳 拳

关 ＋ 手

◆ 打拳　do boxing

25. 教　11　jiāo　jiào　to teach; teaching

教 教 教 教 教 教 教 教 教 教

孝(耂＋子) ＋ 攵

◆ 我教 jiāo 汉语。　我是教师 jiàoshī teacher

26.* 建　8　jiàn　to build; set up

建 建 建 建 建 建 建

聿 ＋ 廴

◆ 我有一个建议。　我建议你学习打太极拳。

我们打算在那儿建一座大楼。

27.* 议　5　Ⓑ　yì　opinion, view

议　议　议　议　议

讠 + 义

◆ 建议　议会 parliament

议员　member of parliament; congressman

28. 注　8　Ⓑ　zhù　to pour, to fix

注　注　注　注　注　注　注

氵 + 主

◆ 你要注意身体。

请注意："注" 和 "住" 是不一样的。

过马路的时候要注意汽车。

29. 静　14　Ⓑ　jìng　quiet

静　静　静　静　青　青　青　青　静　静　静　静　静

青 + 争

◆ 安静　平静 calm

30.* 懒　16　lǎn　lazy

懒　懒　懒　忄　忄　忄　忄　忄　懒　懒　懒　懒　懒　懒　懒

忄 + 赖 (束 + 负)

◆ 他很懒。

31. 连　7　lián　including; even

连　连　连　车　车　连　连

车 + 辶

◆ 他太忙了，连星期天也不休息。

这个问题连孩子也能回答。

32. 才　3　cái　only; not until; later or slower than expected

　才 才 才

◆ 刚才 just now

房间里才四个人。　他们学校才三百个学生。

两点半上课，可是他三点钟才来。

汽车开得很慢，开了一个多小时才到那儿。

写汉字 Xiě Hànzì **Writing**

京				剧				武			
戏				影				夫			
演				员				座			
晴				报				纸			
杂				志				懂			
堵				赶				挺			
平				运				爬			
顶				跑				拳			
教				建				议			

注				静				懒			
连				才							

练 习 Liànxí **Exercises**

一、写出含有下列偏旁的汉字：

Write Chinese characters containing these radicals.

忄 shùxīnpáng (the "heart" side)

心 xīnzìdǐ (the "heart" bottom)

扌 tíshǒupáng (the "hand" side)

氵 sāndiǎnshuǐ (the "water" side)

纟 jiǎosīpáng (the "silk" side)

辶 zǒuzhī (the "walking" part)

二、写出含有下列部件的汉字：

Write Chinese characters with these components.

青
京
巴
坐
走

三、组词：

Form words.

晴（　　　　　）　　　　晴（　　　　　）

给（　　　　　）　　　　纸（　　　　　）

找（　　　　　）　　　　戏（　　　　　）

或（　　　　　）　　　　武（　　　　　）

烦（　　　　　　）　　　　　　顶（　　　　　　　　）

忘（　　　　　　）　　　　　　志（　　　　　　　　）

四、看拼音写汉字：

Write Chinese characters according to the pinyin.

1. Zhōngwén bàozhǐ nǐ kàndedǒng ma?

2. Wǒ zuì xǐhuan de yùndòng shì pá shān.

3. Tā shǒu li názhe yì běn zázhì.

4. Nǐ jiāo wǒ dǎ Tàijíquán ba!

五、猜一猜下面的句子是什么意思：

Guess the meanings of these sentences.

1. 你们连这种东西也吃呀？在我们那儿，这种东西连狗都不吃。

2. 我需要一个安静的环境，现在住的地方从早到晚吵吵闹闹的，连睡觉都睡不好，还怎么工作？

3. 他以前是个京剧演员，他想教他的孩子唱京剧，可是孩子对京剧不感兴趣，他想做电影演员。

4. 每天早上，他在院子里打拳，她在院子外面打球；每个星期天，他出去爬山，她出去跑步。

5. 他们说了半天，我在旁边一句话也没听懂。我说，我听不懂他们在说什么，他们说，听不懂最好，那他们就放心了。

⬇ 汉字知识 Hànzì Zhīshi **About Chinese characters**

In China, when celebrating the Spring Festival, some people write or buy a large piece of the character 福 (fú, *happiness*) and then paste it upside-down on the wall. Why do they do this? It is because "*upside down*" in Chinese is 倒了 (dǎo le); the pronunciation of 倒 (dǎo) is similar to that of 到 (dào, *to come*). So 福倒了 (fú dǎo le, *fú is upside down*), sounds just like 福到了 (fú dào le, *happiness has come*). This method of using homophonic sounds to express wishes is called "oral fortune."

Unit 11

我把 钱包 忘 在车

Shang Le

上 了

I've Left My Wallet in the Car

⬇ 汉 字 Hànzì **Chinese characters**

1. 袋 11 dài pocket, bag

   ⋈ 亻 袋 亻 代 代 代 袋 袋 袋 袋 袋

   ⊠ 代 + 衣

   ◆ 口袋 睡袋 sleeping bag 一袋大米 a sack of rice

2. 司 5 Ⓑ sī take charge of

   ⋈ 司 司 司 司 司

   ◆ 公司 司机 driver

3. 垃 8 Ⓑ lā

   ⋈ 垃 垃 垃 垃 垃 垃 垃

   ⋈ 土 + 立

   ◆ 垃圾

4. 圾 6 Ⓑ jī

Unit
11

⋈ 圾 圾 圾 圾 圾 圾

⋈ 土 + 及

◆ 垃圾

5. 丢 ⬚ 6 diū to lose

⋈ 丢 丢 丢 丢 丢 丢

◆ 我的钱包丢了。 我丢了钱包。

丢面子 lose face 丢人 lose face

6. 扔 ⬚ 5 rēng to throw

⋈ 扔 扔 扔 扔 扔

⋈ 扌 + 乃

◆ 把球扔过来！

这些东西别扔了，以后还有用。

7. 搞 ⬚ 13 gǎo to do

⋈ 搞 搞 搞 搞 搞 搞 搞 搞 搞 搞 搞 搞 搞

⋈ 扌 + 高

◆ 你怎么搞的！

你一定要跟他们搞好关系。You must build good relations with them.

8. 记 ⬚ 5 jì to remember; bear in mind

⋈ 记 记 记 记 记

⋈ 讠 + 己

◆ 生词太多，我记不住。

今天学习的汉字你都记住了吗？

我以前好像见过他，可是他的名字我不记得了。

9. 糟 ⬚ 17 zāo bad

⋈ 糟 糟 糟 糟 糟 糟 糟 糟 糟 糟 糟 糟 糟 糟 糟 糟

◤米 + 曹

◆糟糕 他这一次考糟了。

10. 糕 16 gāo cake

◤糕 糕 糕 糕 米 糕 糕 糕 糕 糕 糕 糕 糕 糕 糕 糕

◤米 + 羔

◆糟糕 蛋糕 糕点 pastry

11. 把 7 bǎ

◤把 把 把 把 把 把 把

◤扌 + 巴

◆一把雨伞 把手 handle

把房间出租给别人

12. 证 7 Ⓑ zhèng to prove; proof, certificate

◤证 证 证 证 证 证 证

◤讠 + 正

◆证件 credentials 证明 to prove; proof

证书 certificate 身份证 shēnfènzhèng identification card

学生证 借书证

13. 护 7 Ⓑ hù to protect

◤护 护 护 护 护 护 护

◤扌 + 户

◆护照 爱护 take good care of

14. 宾 10 Ⓑ bīn guest

◤宾 宾 宾 宾 宾 宾 宾 宾 宾 宾

◤宀 + 兵

◆ 宾馆

15. 卡 5 kǎ card

卡 卡 卡 卡 卡

◆ 卡片 信用卡

16. 址 7 Ⓑ zhǐ address

址 址 址 址 址 址 址

土 + 止

◆ 地址

17. 乘 10 chéng to ride, to take (bus, train, etc.)

乘 乘 乘 乘 乘 乘 乘 乘 乘 乘

◆ 乘出租汽车 乘火车 乘飞机

乘客 passenger

18. 其 8 Ⓑ qí

其 其 其 其 其 其 其 其

◆ 其他

19. 它 5 tā it

它 它 它 它 它

宀 + 匕

20. 转 8 zhuǎn to turn, to shift; pass on

转 转 转 转 转 转 转 转

车 + 专

◆ 请把这件礼物转交给她。

他回来以后，请你转告他，明天晚上我请他吃饭。

21. 骂　9　mà　to curse, to swear (at sb.)

骂 骂 骂 骂 骂 骂 骂 骂 骂

口 + 口 + 马

◆ 别学骂人话。

孩子做错了事，你别骂他。

22. 诚　8　Ⓑ　chéng　honest

诚 诚 诚 诚 诚 诚 诚 诚

讠 + 成

◆ 他很诚实。　他是一个诚实的人。

23. 实　8　Ⓑ　shí　fact; true, honest

实 实 实 实 实 实 实 实

宀 + 头

◆ 事实 fact　真实 true

说实话 tell the truth

实现他的理想 realize his ideal

对不起，实在 (really) 对不起！

24. 顿　10　dùn

顿 顿 顿 顿 顿 顿 顿 顿 顿 顿

屯 + 页

◆ 一顿饭　打了一顿

25. 码　8　Ⓑ　mǎ

码 码 码 码 码 码 码 码

石 + 马

◆ 号码　码头 wharf, dock

写汉字 Xiě Hànzì **Writing**

袋				司				垃			
圾				丢				扔			
搞				记				糟			
糕				把				证			
护				宾				卡			
址				乘				其			
它				转				骂			
诚				实				顿			
码											

 练 习 Liànxí **Exercises**

一、写出含有下列偏旁的汉字:

Write Chinese characters containing these radicals.

米   mǐzìpáng   (the "rice" side)

土   títǔpáng   (the "earth/soil" side)

讠　yánzìpáng　　(the "words/speech" side)

扌　tíshǒupáng　　(the "hand" side)

二、写出含有下列部件的汉字：

Write Chinese characters with these components.

其
匕
马
页
及
交
头

三、组词：

Form words.

扔（　　　　　）　　奶（　　　　　　　　）
同（　　　　　）　　司（　　　　　　　　）
去（　　　　　）　　丢（　　　　　　　　）
较（　　　　　）　　转（　　　　　　　　）
装（　　　　　）　　袋（　　　　　　　　）
城（　　　　　）　　诚（　　　　　　　　）
实（　　　　　）　　买（　　　　　　　　）

四、看拼音写汉字：

Write Chinese characters according to the pinyin.

1. Zāogāo! Wǒ de qiánbāo diū le.

2. Hùzhào, xuéshēngzhèng dōu zài nàge bāo li.

3. Tā bǎ bīnguǎn de dìzhǐ xiě zài yì zhāng zhǐ shang.

4. Wǒ bǎ fāpiào rēngdào lājīxiāng li qù le.

五、猜一猜下面的句子是什么意思：

Guess the meanings of these sentences.

1. 那些垃圾邮件常常把他搞得十分头疼。

2. 真不好意思，我没想到这件事办得这样糟糕。

3. 我们公司打算把总部搬到那儿去，因为，可以肯定地说，十年以后，那儿是东亚最重要的金融贸易中心。

4. 小偷把他钱包里的现金都拿走了，把钱包里的护照和其他证件扔在垃圾箱里。有一位工人发现了这些证件，把它们交给了警察。

5. 对每一位上车的乘客，司机总是点点头，说："您好"；对每一位下车的乘客，司机总是挥 huī 挥手，说："您走好，再见！"

汉字知识 Hànzì Zhīshi **About Chinese characters**

Chinese characters were created to record the Chinese language. In order to record different words or phrases, different characters were created. However, in the course of development, some homophonic characters were borrowed to record words with different meanings. For example, 我 originally meant halberd, but it was borrowed to express the first person singular pronoun "I." 来 originally meant wheat, but it was borrowed to express the action, "to come." 它 originally meant snake, but it was borrowed to express the inanimate third person singular pronoun "it," while another character, 蛇 was created for "snake."

*   *   *

Due to an ever-increasing cultural exchange with the Western world, some words and phrases with letters from foreign languages are now appearing in the Chinese language; for example, T恤衫 (T shirt) or VCD. These words or expressions have been included in *The Modern Chinese Dictionary*.

Unit 12

Chàdiǎnr Bèi Qìchē Zhuàngle
差点儿 被 汽车 撞 了
Yíxià
一下

I Was Nearly Hit by a Car

 汉 字 Hànzì **Chinese characters**

1. 绿　11　lǜ　green

    绿 绿 绿 绿 绿 绿 绿 绿 绿 绿 绿

    纟 ＋ 录

    ◆草绿了，花开了，春天来了。

2. 灯　6　dēng　lamp

    灯 灯 灯 灯 灯 灯

    火 ＋ 丁

    ◆电灯　开灯　关灯

3. 脑　10　⑧　nǎo　brain

    脑 脑 脑 脑 脑 脑 脑 脑 脑 脑

    月 ＋ 囟

    ◆他脑子很好。　他的脑子跟电脑差不多。

4. 软　8　ruǎn　soft

軟 軟 軟 軟 軟 軟 軟 軟

车 + 欠

软件　软卧　面包很软。

5. 硬　12　yìng　hard, stiff

硬 丆 石 石 石 石 硯 硯 硯 硯 硬 硬

石 + 更

硬件　硬卧　这面包太硬了。

硬功夫　硬币 yìngbì　coin

6. 杀　6　shā　to kill

杀 杀 杀 乑 杀 杀

杀毒　杀手　杀死了一个人。

7. 毒　9　dú　poison; poisonous

毒 毐 毐 毒 圭 毒 毒 毒 毒

主 + 母

毒品 narcotics, drug　毒气 poison gas

病毒

8. 偷　11　tōu　to steal

偷 偷 偷 偷 偷 偷 偷 偷 偷 偷 偷

亻 + 俞

偷东西　小偷 thief

9. 霉　15　méi　mold, mildew

霉 霉 霉 霉 霉 霉 霉 霉 霉 霉 霉 霉 霉 霉 霉

雨 + 每

倒霉　发霉 go moldy

10. 够　11　gòu　enough

⋊ 够 勺 勺 句 句 句 够 够 够 够

⋊ 句 ＋ 多

◆ 已经点了很多菜了，够了，不要再点了。

你的汉语进步很大，可是还不够流利。

11.* 透　10　tòu　fully, thoroughly

⋊ 透 透 透 透 透 禾 秀 秀 诱 透

✕ 秀 ＋ 辶

◆ 树叶还没有红透。

我今天倒霉透了。

12. 又　2　yòu　again

⋊ 又 又

◆ 他昨天来过，今天早上又来了，他说他明天还要再来一次。

13. 被　10　bèi

⋊ 被 被 被 被 被 衩 衩 袯 被 被

⋊ 衤 ＋ 皮

◆ 他的自行车被人偷走了。

14. 变　8　biàn　to change

⋊ 变 变 变 变 变 变 变 变

✕ 亦 ＋ 又

◆ 你变了。

这个地方变化很大，变得我都认不出来了。

15. 府　8　Ⓑ　fǔ　government office

✳ 府 府 府 府 府 府 府 府

✕ 广 ＋ 付

◆ 政府

16. 草 9 cǎo grass

✳ 草 草 草 草 草 草 草 草 草

✕ 艹 ＋ 早

◆ 草地

17. 味 8 Ⓑ wèi taste

✳ 味 味 味 味 味 味 味 味

✕ 口 ＋ 未

◆ 味道好极了！

他的课上得很有味道。

18. 污 6 Ⓑ wū dirty

✳ 污 污 污 污 污 污

✕ 氵 ＋ 亏

◆ 污染 污水

19. 染 9 rǎn to dye

✳ 染 染 染 染 染 染 染 染

✕ 氿 ＋ 木

◆ 污染 把头发染成红色

20. 严 7 yán tight, strict

✳ 严 严 严 严 严 严 严

◆ 严重 老师对我们很严格 (yángé strict)

门关得严严的。 The door was tightly shut.

21. 重　9　zhòng　heavy

重 重 重 重 重 重 重 重 重

◆ 你有多重？　这个会 (meeting, conference) 很重要 (important)。

发生 (take place) 了严重的交通事故。

重视 pay attention to; take something seriously

要重视环境问题。

22. 随　11　Ⓑ　suí　to follow, to let

随 随 随 随 随 随 随 随 随 随 随

⋈ 阝 ＋ 遀(有＋辶)

◆ 请随便坐。　随便做什么都可以吗？

23. 惜　11　Ⓑ　xī　to cherish, to regret

惜 惜 惜 惜 惜 惜 惜 惜 惜 惜

⋈ 忄 ＋ 昔

◆ 爱惜 to cherish, to treasure; use sparingly

这次机会 (opportunity, chance) 很难得 (rare)，你要爱惜啊！

太可惜了。

24.* 栽　10　zāi　to plant

栽 栽 栽 栽 栽 栽 栽 栽 栽 栽

⋈ 𢨙 ＋ 木

◆ 在路的两边都栽上树。

前人栽树，后人乘凉。

One generation plants the trees under whose shade another generation rests.

25.* 砍　9　kǎn　to cut

砍 砍 砍 砍 砍 砍 砍 砍 砍

Unit
12

109 ⟫

◈ 石 + 欠

◈ 砍树

26. 保　9　Ⓑ　bǎo　to protect

◈ 保 保 保 保 保 保 保 保 保

◈ 亻 + 呆

◈ 一定要保护好环境。

保卫国家 defend the country

27. 各　6　gè　each, every

◈ 各 夕 各 各 各 各

◈ 夂 + 口

◈ 各人有各人的爱好 (àihào, hobby)。

商店里有各种各样 (all kinds of) 的衣服，可是她都不喜欢。

28. 掉　11　diào　to drop, to fall

◈ 掉 掉 掉 掉 掉 掉 掉 掉 掉 掉 掉

◈ 扌 + 卓

◈ 天上会掉下面包来吗?

他把家里的东西都卖掉了。

家里的钱都被他吃掉了。

 写汉字 Xiě Hànzì **Writing**

绿				灯				脑			
软				硬				杀			

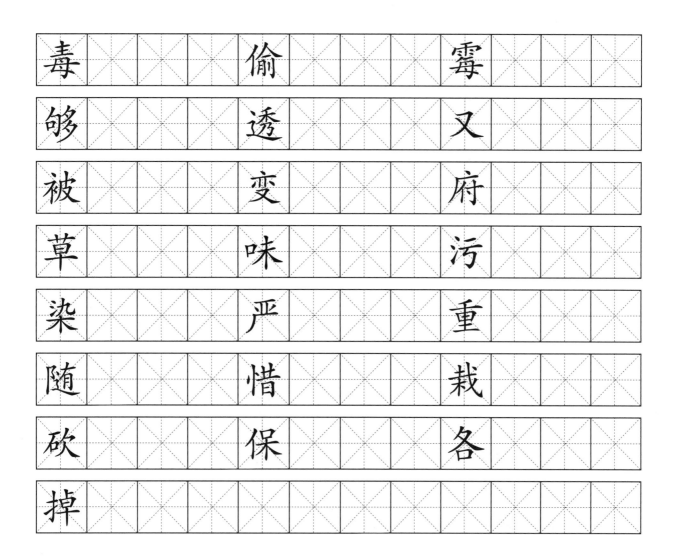

毒				偷				霉			
够				透				又			
被				变				府			
草				味				污			
染				严				重			
随				惜				栽			
砍				保				各			
掉											

练 习 Liànxí Exercises

一、写出含有下列偏旁的汉字：

Write Chinese characters containing these radicals.

亻　dānrénpáng　　(the "single-person" side)

阝　zuǒ'ěrpáng　　(the "left-ear/hill" side)

攵　fǎnwén　　(the "tapping/rapping" side)

忄　shùxīnpáng　　(the "heart" side)

二、写出含有下列部件的汉字：

Write Chinese characters with these components.

付

正

多

母

又

三、组词：

Form words.

候（　　　　　　）　　　　信（　　　　　　）

名（　　　　　　）　　　　各（　　　　　　）

懂（　　　　　　）　　　　重（　　　　　　）

霉（　　　　　　）　　　　毒（　　　　　　）

四、看拼音写汉字：

Write Chinese characters according to the pinyin.

1. Héshuǐ wūrǎn hěn yánzhòng.

2. Wǒ de jiāxiāng biàn de yuèláiyuè měilì le.

3. Nàxiē jiù fángzi dōu bèi chāidiào le.

4. Qǐng suíbiàn zuò, bié kèqi.

五、猜一猜下面的句子是什么意思：

Guess the meanings of these sentences.

1. 祝你一路顺风！

2. 我们相信你一定能把这个工作做好。我们对你有信心。

3. 大家都觉得，不能对这种不合法的做法开绿灯。

4. 在一个黑色的星期五，他的电脑病毒发作，电脑里的东西一点儿也没有了，他伤心得两天没吃饭。

5. 这本书写的是环境保护问题，书上说，地球只有一个，保护环境不只是政府部门的事，也是我们每一个人的事。

汉字知识 Hànzì Zhīshi **About Chinese characters**

As a result of cultural and linguistic exchanges over the ages, Chinese characters gradually spread beyond the area directly ruled by the Han people. Generally speaking, there were three routes by which they were transmitted to other ethnic groups and countries. (1) The first route went south and southwest through modern Guangxi (at that time occupied by the ancestors of the Zhuang people) to what is now Vietnam, where Chinese characters in their original forms were used alongside the native characters (*chu nom*). Later, Chinese characters also spread along this route to the Miao, Yao, Bouyei, Dong, Bai, Hani, Sui and Lisu ethnic groups, who now inhabit parts of Sichuan, Guizhou, Yunnan, and Hunan provinces. (2) The second route went east into what is now Korea and Japan, where Chinese characters were used in their original forms and/or in scripts ultimately derived from them (for example, Japanese *kana*). (3) The third route stretched north and northwest into the territory of the Jurchen, Khitan and Tangut peoples, all of whom developed their own distinctive scripts utilizing the formative principles of Chinese characters. All of these three peoples created states which were contemporary with the Song Dynasty.

According to scholars, there are about twenty non-Chinese languages that have used either Chinese characters, or scripts invented according to the same principles as Chinese characters. Some of them are still in formal use (e.g. *kanji* and *kana* in Japanese), some have disappeared long ago (e.g. the Jurchen, Khitan, and Tangut scripts), and some are presently dying out (e.g. Chinese characters in North Korea).

Hànzì Suǒyǐn

汉字索引

Index of Chinese Characters

101. 够 / 12	131. 记 / 11	161. 考 / 7	191. 慢 * / 7
102. 故 * / 8	132. 季 / 5	162. 刻 / 7	192. 猫 * / 1
103. 刮 * / 5	133. 济 / 3	163. 肯 / 2	193. 贸 / 8
104. 观 / 3	134. 加 / 8	164. 恐 * / 3	194. 霉 / 12
105. 馆 / 3	135. 间 / 1	165. 库 / 6	195. 美 / 4
106. 规 / 3	136. 检 * / 8	166. 快 / 3	196. 母 / 3
107. 果 / 8	137. 件 / 4	167. 款 * / 3	197. 拿 / 3
108. 孩 / 4	138. 建 * / 10	168. 垃 / 11	198. 奶 / 2
109. 海 / 6	139. 交 / 6	169. 懒 * / 10	199. 南 / 6
110. 害 * / 3	140. 教 / 10	170. 乐 / 4	200. 难 / 7
111. 航 / 8	141. 节 / 5	171. 乐 / 4	201. 脑 / 12
112. 喝 / 2	142. 结 / 7	172. 累 / 9	202. 闹 / 6
113. 合 / 9	143. 介 / 7	173. 冷 / 5	203. 鸟 / 1
114. 糊 * / 7	144. 借 / 3	174. 礼 / 4	204. 农 / 6
115. 互 / 7	145. 金 / 8	175. 理 / 8	205. 努 / 7
116. 护 / 11	146. 京 / 10	176. 力 / 7	206. 暖 / 5
117. 花 / 1	147. 经 / 2	177. 历 / 3	207. 爬 / 10
118. 滑 * / 5	148. 晴 / 10	178. 厉 * / 3	208. 怕 * / 3
119. 化 / 3	149. 警 * / 8	179. 利 * / 4	209. 拍 / 1
120. 坏 / 8	150. 净 / 2	180. 连 / 10	210. 排 / 8
121. 欢 / 1	151. 境 / 6	181. 练 / 7	211. 跑 / 10
122. 环 / 6	152. 静 / 10	182. 炼 / 9	212. 陪 / 1
123. 活 / 4	153. 酒 / 4	183. 凉 / 5	213. 片 / 1
124. 火 / 1	154. 旧 / 9	184. 领 / 8	214. 票 / 1
125. 圾 / 11	155. 句 / 7	185. 流 * / 4	215. 品 / 7
126. 机 / 1	156. 剧 / 10	186. 龙 / 6	216. 平 / 10
127. 级 / 7	157. 觉 / 2	187. 楼 / 6	217. 破 / 8
128. 极 / 5	158. 卡 / 11	188. 绿 / 12	218. 普 * / 7
129. 急 * / 2	159. 开 / 6	189. 麻 / 1	219. 期 / 3
130. 己 / 1	160. 砍 * / 12	190. 骂 / 11	220. 其 / 11

221. 器 / 9	251. 视 / 9	281. 挺 / 10	311. 肖 / 4
222. 签 / 9	252. 试 / 7	282. 通 / 6	312. 些 / 1
223. 亲 / 3	253. 室 / 6	283. 通 * / 3	313. 新 / 2
224. 轻 / 4	254. 手 / 8	284. 统 / 4	314. 信 / 8
225. 清 / 7	255. 舒 * / 2	285. 偷 / 12	315. 修 / 8
226. 晴 / 5	256. 熟 * / 1	286. 透 * / 12	316. 需 / 6
227. 秋 / 5	257. 束 / 7	287. 涂 * / 7	317. 雪 / 5
228. 趣 / 3	258. 树 / 6	288. 推 * / 8	318. 押 / 9
229. 拳 / 10	259. 摔 / 8	289. 完 / 2	319. 严 / 12
230. 然 / 3	260. 睡 / 2	290. 忘 / 7	320. 演 / 10
231. 染 / 12	261. 司 / 11	291. 卫 / 6	321. 养 / 1
232. 热 / 5	262. 思 / 9	292. 味 / 12	322. 药 / 2
233. 认 / 4	263. 死 / 6	293. 温 / 5	323. 业 / 7
234. 扔 / 11	264. 宿 / 2	294. 卧 / 6	324. 叶 / 5
235. 容 / 7	265. 算 / 3	295. 污 / 12	325. 医 / 2
236. 融 * / 8	266. 随 / 12	296. 武 / 10	326. 已 / 2
237. 如 / 9	267. 所 / 1	297. 舞 / 4	327. 议 * / 10
238. 软 / 12	268. 它 / 11	298. 物 / 1	328. 易 / 7
239. 伞 / 8	269. 台 / 9	299. 悉 * / 1	329. 意 / 3
240. 散 / 6	270. 谈 / 7	300. 惜 / 12	330. 应 / 3
241. 杀 / 12	271. 堂 / 2	301. 席 * / 4	331. 迎 / 1
242. 伤 / 8	272. 套 / 9	302. 洗 / 9	332. 影 / 10
243. 绍 / 7	273. 特 / 4	303. 喜 / 1	333. 硬 / 12
244. 舍 / 2	274. 疼 / 2	304. 戏 / 10	334. 泳 / 5
245. 身 / 2	275. 梯 / 9	305. 夏 / 5	335. 优 / 4
246. 识 / 4	276. 题 / 4	306. 鲜 / 2	336. 游 / 5
247. 实 / 11	277. 体 / 2	307. 乡 / 5	337. 又 / 12
248. 食 / 2	278. 跳 / 4	308. 相 / 7	338. 雨 / 5
249. 史 / 3	279. 厅 * / 2	309. 箱 / 9	339. 玉 / 4
250. 始 / 7	280. 听 / 1	310. 像 / 9	340. 鱼 / 1

341. 预 * / 5

342. 寓 * / 9

343. 员 / 10

344. 院 / 2

345. 阅 * / 7

346. 越 / 4

347. 云 / 5

348. 运 / 10

349. 杂 / 10

350. 栽 * / 12

351. 咱 / 4

352. 糟 / 11

353. 照 / 1

354. 正 / 2

355. 证 / 11

356. 政 / 3

357. 只 / 1

358. 址 / 11

359. 纸 / 10

360. 志 / 10

361. 治 / 3

362. 钟 / 7

363. 种 / 7

364. 重 / 12

365. 主 / 4

366. 属 * / 4

367. 住 / 2

368. 注 / 10

369. 祝 / 4

370. 专 / 7

371. 转 / 11

372. 装 / 9

373. 撞 / 8

374. 准 * / 7

375. 着 / 8

376. 着 * / 2

377. 总 / 4

378. 租 / 9

379. 昨 / 2

380. 座 / 10

Liànxí Cānkǎo Dá'àn
练习参考答案
Key to Exercises

第一单元

一、狗 猫

　　打 拍 找 接 担 拐 换

　　机 样 校 林 板

　　迎 这 还 远 进 近 过 道 边

　　熟 照 点 然

　　花 茶 菜

　　城 地 块

　　烦 烧

　　陪 院

二、喜 城 鸟 迎 物

三、办（办公、办事、怎么办）　为（为什么）

　　问（问题、请问）　间（时间）

　　听（听说）　所（所以）

　　票（车票、机票）　漂（漂亮）

四、1. 这些照片都很漂亮。

　　2. 我要买一张飞机票。

　　3. 他不喜欢养动物。

　　4. 养花儿比较麻烦，但是很有意思。

第二单元

一、还／杯 院 床 药

二、病 疼 瘦

　　眼 睡

　　杯 机 板 样 校 林

　　药 花 茶 菜

钱 错 镜

三、睡 疼 喝 医

四、己（自己）　已（已经）

　　是（是不是）　定（一定、肯定）

　　病（生病）　疼（肚子疼）

　　作（工作）　昨（昨天）

　　听（听说）　新（新鲜）

　　麻（麻烦）　床（起床）

　　完（说完）　玩（玩儿）

　　好（好吃）　奶（牛奶）

　　往（往前走）　住（住哪儿）

　　百（一百）　宿（宿舍）

五、1. 他／她现在正在睡觉。

　　2. 大家都来了没有？

　　3. 他们／她们都住学生宿舍。

　　4. 店里的东西很新鲜，很干净，也很便宜。

第三单元

一、吧／爸 欢／款 次 现／观／规

　　孩／该 每／海 新 男／历／助

　　放／房／旅 旁

二、等 第 算 笔

　　快 怕 忙

　　想 感 意 思 悉 急 怎 息 您

　　河 济 汉 法 汤 汽 没 漂

三、算　趣　第　感　期

四、化（文化）　　比（比较）

　　　次（第一次）　欢（欢迎、喜欢）

　　　快（快点儿）　块（一块钱）

　　　孩（孩子）　该（应该）

　　　历（历史）　厉（厉害）

　　　规（规定）　观（参观）

五、1. 我对历史很感兴趣。

　　　2. 你父母亲第一次来中国吧？

　　　3. 这本书是什么时候借的？

　　　4. 他们昨天参观了我们公司。

第四单元

一、认　识　该　词　话　课　请　让

　　谁　说　诉　语　谢　优　件　但

　　住　借　化　们　假　你　他　便

　　什　位　作　做　休　唱　咱　听

　　喝　吧　吗　呢　咖　啡　吃　哪

　　叫　跳　跟　路

　　活　流　酒　河　济　汉　法　汤

　　汽　没　漂

二、舞　跳　统　蛋　得

三、话（说话）　活（生活）

　　　经（已经）　轻（年轻）

　　　欢（欢迎）　歌（唱歌）

　　　王（国王）　玉（一块玉）

　　　该（应该）　孩（孩子）

　　　牛（牛奶）　件（一件衣服）

　　　西（东西）　酒（喝酒）

　　　祝（祝你生日快乐）　视（电视）

　　　自（自行车）　咱（咱们）

越（越来越）　趣（兴趣）　起（起来）

四、1. 祝你生日快乐。

　　　2. 他越来越年轻了。

　　　3. 他唱歌唱得很好。

　　　4. 我很喜欢他送给我的那件礼物。

第五单元

一、凉　冷　冰　净　次

　　温　滑　游　泳　活　流　酒　河

　　济　汉　法　汤　汽　没　漂

　　热　熟　照　然

　　暖　晴　时

二、雪　凉　冰　便　秋

三、泳（游泳）　冰（滑冰）

　　　爱（爱人）　暖（暖和）

　　　请（请进）　晴（晴天）

　　　度（温度）　麻（麻烦）

　　　季（季节）　秋（秋天）

四、1. 我最喜欢秋天。

　　　2. 我家乡的天气比这儿好。

　　　3. 今天一点儿也不冷。

　　　4. 明天会不会下雨？

第六单元

一、(1) biàn pián　(2) kòng kōng

　　(3) de děi　(4) hái huán

　　(5) gān gàn　(6) hé　huo

二、校 / 较　闹　吵　每 / 海　到 / 室

　　库 / 较　会 / 层

三、衣（衣服）　农（农村）

　　　南（南面）　商（商店）

　　　道（知道）　通（交通）

村（农村）　树（树叶）

四、1.我家北边是山，南边是河。

2.院子里有很多树和花儿。

3.吃完晚饭，我常常去海边散步。

4.那儿一点儿也不好，吵死了！

第七单元

一、极 级　姓 兴　时 食　再 在

难 男 南　市 视 试 室

二、读 努　请/晴/清　孩/该/刻

种/钟　秋　想

三、刻（一刻钟）　孩（孩子）

容（容易）　客（客气）

难（难题）　准（标准）

考（考试）　老（老师）

钟（几点钟）　种（这种东西）

请（请进）　清（清楚）　晴（晴天）

四、1.我是汉语专业三年级学生。

2.我听得不太清楚。

3.今天的课文难不难？

4.我们互相帮助，互相学习。

第八单元

一、摔 撞 排 推 报 打 拍 找

接 担 拐 换

体 修 伤 倒 低 优 件 但

住 借 化 们 假 你 他 便

什 位 作 做 休

班 理 环 球 现

坏 场 境 城 地 块

二、修 摔 航 伞 撞

三、休（休息）　体（身体）

绍（介绍）　结（结果）

非（非常）　排（安排）

到（买到）　倒（摔倒）

专（专业）　传（传真）

着（着急）　看（看见）

杯（杯子）　坏（摔坏）　环（环境）

五、1.你父母亲的身体怎么样？

2.我的雨伞坏了，得修一下。

3.什么时候能知道考试的结果？

4.领导安排我做这个工作。

第九单元

一、箱 答 等 第 算 笔

付 像 傅 体 修 伤 倒 低

优 件 但 住 借 化 们 假

你 他 便 什 位 作 做 休

搬 押 拆 摔 撞 排 推 报

打 拍 找 接 担 拐 换

洗 法 涂 清 海 温 滑 游

泳 活 流 酒 河 济 汉 法

汤 汽 没 漂

二、拆 像 搬 锻 傅

三、和（暖和）　租（租金）

诉（告诉）　拆（拆下来）

练（练习）　炼（锻炼）

第（第一）　梯（电梯）

想（想法）　箱（箱子）

合（合同）　会（会说汉语）

台（一台电视机）　始（开始）

视（电视）　现（现在）

四、1.他每天都锻炼身体。

2. 如果你想租的话,现在就可以搬进去。

3. 空调买回来了,还没装上去。

4. 这些问题合同上都没写清楚。

第十单元

一、懒 懂 慢 快 怕 忙

　　志 思 总 想 感 意 悉 急

　　怎 息 您 恐

　　挺 报 搬 押 拆 摔 撞 排

　　推 打 拍 找 接 担 拐 换

　　注 演 洗 法 涂 清 海 温

　　滑 游 泳 活 流 酒 河 济

　　汉 法 汤 汽 没 漂

　　纸 结 练 级 绍 统 约 经

　　红

　　运 连 迟 遍 通 送 迎 这

　　还 远 进 近 过 道 边

二、请 / 清 / 晴 / 睛 / 静

　　凉 / 影 / 就

　　吧 / 爸 / 爬

　　座

　　越 / 赶 / 趣 / 起

三、晴 (晴天)　睛 (眼睛)

　　给 (给他)　纸 (一张纸)

　　找 (找人)　戏 (看戏)

　　或 (或者)　武 (武打)

　　烦 (麻烦)　顶 (山顶)

　　忘 (忘了)　志 (杂志)

四、1. 中文报纸你看得懂吗?

　　2. 我最喜欢的运动是爬山。

　　3. 他手里拿着一本杂志。

4. 你教我打太极拳吧!

第十一单元

一、糊 糟 糕 糖

　　址 垃 圾 堵 坏 场 境 城

　　地 块

　　证 诚 记 议 调 谈 话 试

　　认 识 该 课 请 让 诉 语

　　谢

　　护 扔 搞 把 挺 报 搬 押

　　拆 摔 撞 排 推 打 拍 找

　　接 担 拐 换

二、期

　　呢 / 老 / 比 / 北 / 它

　　吗 / 妈 / 骂 / 码

　　领 / 题 / 顿 / 烦

　　圾 / 极

　　较 / 校 /

　　买 / 卖 / 实

三、扔 (扔过来)　奶 (牛奶)

　　同 (同学)　司 (司机)

　　去 (去年)　丢 (丢钱包)

　　较 (比较)　转 (转过去)

　　装 (装空调)　袋 (口袋)

　　城 (城市)　诚 (诚实)

　　实 (诚实)　买 (买东西)

四、1. 糟糕! 我的钱包丢了。

　　2. 护照、学生证都在那个包里。

　　3. 他把宾馆的地址写在一张纸上。

　　4. 我把发票扔到垃圾箱里去了。

第十二单元

一、保　偷　信　付　像　傅　体　修
　　伤　倒　低　优　件　但　住　借
　　化　们　假　你　他　便　什　位
　　作　做　休
　　随　陪　院
　　政　教　故　散　放
　　惜　懒　懂　慢　快　怕　忙

二、府　　政 / 证　　够　　每 / 毒　　变

三、候（气候）　信（寄信）
　　名（姓名）　各（各种）
　　懂（看懂）　重（严重）
　　霉（倒霉）　毒（毒品）

五、1. 河水污染很严重。
　　2. 我的家乡变得越来越美丽了。
　　3. 那些旧房子都被拆掉了。
　　4. 请随便坐，别客气。

责任编辑：杨　晗
英文编辑：张　乐　薛彧威
封面设计：Daniel Gutierrez

图书在版编目（CIP）数据

《当代中文》汉字本 . 2 : 汉英对照 / 吴中伟主编 . -- 修订本 . -- 北京 : 华语教学出版社，
2014.7
　　ISBN 978-7-5138-0733-3

　　Ⅰ . ①当… Ⅱ . ①吴… Ⅲ . ①汉语 - 对外汉语教学 - 教学参考资料 Ⅳ . ① H195.4

中国版本图书馆 CIP 数据核字 (2014) 第 155010 号

《当代中文》修订版
汉字本
2
主编　吴中伟
＊

© 华语教学出版社有限责任公司
华语教学出版社有限责任公司出版
（中国北京百万庄大街 24 号　邮政编码 100037）
电话 : (86)10-68320585, 68997826
传真 : (86)10-68997826, 68326333
网址 : www.sinolingua.com.cn
电子信箱 : hyjx@sinolingua.com.cn
新浪微博地址 : http://weibo.com/sinolinguavip
北京中科印刷有限公司印刷
2003 年（16 开）第 1 版
2014 年（16 开）修订版
2014 年修订版第 1 次印刷
（汉英）
ISBN 978-7-5138-0733-3
定价 : 45.00 元